ALFONSO ZAMOI

EL
PEREGRINO

COLECCIÓN
STOKER

EL PEREGRINO

© 2019 Plan B Publicaciones S.L. sobre la presente edición
© de la obra Alfonso Zamora

ISBN: 978-84-17389-87-1
Depósito Legal: PM 766-2019
C/Oms 53, 3º
07003 Palma
dolmen@dolmeneditorial.com

Autor: Alfonso Zamora
Corrección: Victor Conde
Maquetación interior: Laura Ruiz Briones
Coordinador de la línea: Jorge Iván Argiz
Dibujo y diseño de portada: Alejandro Colucci
Dirección: Darío Arca
Editor: Vicente García

EL
PEREGRINO

Va por ti, Laura. Allá donde estés.

PRÓLOGO

Fue hace mucho tiempo, durante uno de mis muchos veranos en Galicia, cuando mi tío me acompañó a ver la catedral de Santiago. El sol se encontraba agazapado, cercano al horizonte y bañaba la fachada de las Platerías con un manto cobrizo que señalaba su inminente despedida. Había escuchado ya algunas historias que envolvían en un halo de misterio cualquier referencia al Camino y la construcción de la catedral, pero para un niño como era yo entonces, no era fácil comprender aquellos mitos que trascendían fronteras, lenguas y credos. Había pedido a mis familiares, oriundos de aquella tierra de *meigas* y leyendas, que me mostrasen una sola prueba de la magia del Camino.

—Los misterios más apasionantes solo pertenecen a los peregrinos, ya que la clave está en el Camino y no en la meta —comentó mi tío mientras posaba su mano sobre mis hombros—. Aún eres joven para comprenderlo, pero quiero que conozcas a una persona. Lleva muchos años viendo peregrinos y conoce todos sus secretos.

Subimos las escaleras de la plaza dejando atrás la fuente de los caballos, donde quise lanzar una moneda de un duro sacrificando las golosinas de aquella tarde, y nos dirigimos a la contigua plaza Quintana —de *Mortos*, orientada al sur, en contraposición a la de los vivos—. Creo que mi tío advirtió la tensión en mis músculos, que ahora atribuyo a una mezcla de irrefrenable curiosidad con la que aún convivo y de una galopante incredulidad que me obligaba a comprobar en persona cualquier asunto del que albergara serias dudas.

—¿Y si ese señor ya se ha marchado a su casa? ¿Y si no ha querido esperarnos? —pregunté sin soltar su mano.

—Cuando lo veas, comprenderás por qué que nunca llega tarde a su cita —me respondió mientras me atusaba el cabello con la mano.

Quería seguir aparentando una falsa valentía a pesar de que la incertidumbre se había adueñado de mis pensamientos, y mantenía un firme control sobre todos mis sentidos, hasta el punto de obligarme a frenar en seco. Mi tío siguió tirando de mí mientras me animaba a continuar.

—Si no llegamos a la hora, el señor se va a enfadar contigo. Ayer me dijo que quería mostrarte, solo a ti, su secreto más oscuro.

—¿Oscuro? Me da miedo la oscuridad —repuse.

—Mira ahí delante, junto a la puerta. Te estará esperando. Yo me quedo aquí —dijo, y se quedó cruzado de brazos.

Señaló al frente, en dirección a un grupo de una media docena de jóvenes que formaba un corrillo frente a la puerta de la Catedral, quienes miraban hacia una esquina que no podía divisar desde el lugar en el que me encontraba. Di un par de pasos, aún dubitativo, volviendo la espalda hacia mi tío, que me seguía con su atenta mirada. Dos pasos, mirada atrás. Dos pasos, mirada atrás. Y así hasta que me topé con las piernas blancas de una turista —disculpad que por aquel entonces no identificara claramente a una *guiri* por sus calcetines blancos—. La chica dejó su mochila a un lado y enfocó su cámara de fotos hacia la misteriosa esquina de la catedral para hacerle una foto a su compañero de viaje. Aquel joven giró la cabeza hacia la esquina y, de cara a la galería, fingió estar asustado, como si un espectro hubiera surgido de la nada. Bueno, ciertamente «nada» era lo que yo podía ver: tan solo una columna de piedra llena de musgo y las sandalias del turista repiqueteando sobre el empedrado de la plaza.

Justo en ese momento, sentí nuevamente las manos de mi tío queriendo corregir mi posición.

—Tienes que moverte un poco más a la izquierda, sobri —me dijo.

Fue entonces cuando me invadió una extraña sensación de satisfacción por estar reconociendo algo sorprendente, inesperado. Una sombra se proyectaba sobre los muros del templo: era una figura humana. ¡Y parecía llevar un sombrero de peregrino! ¿Cómo era posible? ¿Había un señor ahí?

—Si lo has visto, no se lo cuentes a nadie. No quiere que se sepa su secreto. Todos los días viene a esta hora para que los que quieren ver, lo vean —apuntó mi tío.

Lo cierto es que no tardé mucho en contarle mi sorprendente hallazgo a mi abuela en cuanto volvimos a la casa familiar en Noia. Ella, que siempre creyó en las leyendas celtas, alimentó mi voraz curiosidad acerca de la mitología sobre el Camino, y aun creciendo con ella, con el paso del tiempo he llegado a comprender que todos tenemos una historia que contar sobre él porque hay tantas como personas lo hemos transitado.

Esta es una de ellas, misteriosa, que aguarda al acecho hasta que tú, querido lector, oses adentrarte en sus profundidades de la mano de Alfonso Zamora. Quien le conoce y ha tenido oportunidad de leer su extensa narrativa sabe que es el compañero de viaje adecuado para sumergirse de lleno en un Camino de Santiago en el que el peregrino vigila nuestros pasos.

Tras la saga *De Madrid al Zielo*, Alfonso nos muestra la realidad de un Camino que nunca volveremos a ver de la misma manera tras la lectura de sus páginas, donde encontraremos la respuesta para muchos de los enigmas que han asaltado a generaciones de peregrinos.

Agradezco a Alfonso la oportunidad de devolverle el favor de haber prologado mi primera novela, permitiéndome presentar su última obra. Como él dijo entonces, el Destino ha querido ser caprichoso y la amistad que nos une desde pequeños ha tenido una nueva ocasión de revelarse en el mundo de las letras. Él me mostró el camino del escritor, fue mi inspiración para lanzarme a este pequeño gran universo. Aportó luz donde yo solo veía sombras. Y sus historias me hicieron viajar a un Madrid devastado por un virus, y una playa, la de El Postiguet en Alicante, donde el baño pasó de ser un placer a un riesgo.

Fiad vuestro destino a la pluma de Alfonso Zamora. El secreto que os está a punto de ser revelado solo es para vuestros ojos.

Que la magia del Camino os acompañe durante todo vuestro trayecto.

Joaquín Rodríguez, autor del thriller
Oscuro Amanecer en Berlín.

Para Iker, Raúl y Natalia.
Siempre caminaré a vuestro lado.

1

Corre como si la persiguiera el mismísimo demonio. Lleva las chanclas en la mano para poder moverse mejor. En su vertiginosa carrera apenas repara en lo que tiene a su alrededor, y tropieza de manera torpe con una papelera. Cae al suelo de manera ridícula, pero se levanta de inmediato para continuar con su huida.

Sea lo que sea lo que la está persiguiendo, cada vez lo siente más cerca. Es noche cerrada y el barrio permanece en un silencio sepulcral, como si contuviese la respiración ante tal horrible escena. Ni un alma por las calles, nadie a quien pedir auxilio.

Otro gruñido, esta vez más cerca, hace que la muchacha acelere de manera desesperada. Pero su cuerpo comienza a fallar y el cansancio se apodera de ella. Se detiene en un portal para coger aliento. Trata de contener la respiración para no ser descubierta, pero la fatiga la hace resoplar de manera evidente. Tras unos segundos eternos, logra relajarse lo suficiente como para centrarse en el silencio de la noche.

No escucha nada salvo el sonido de una moto alejándose al final de la calle. La madrugada es fresca, pero el sudor le recorre el rostro. Le vibra el móvil en la pequeña mochila que lleva a la espalda. Lo saca con cuidado para leer el mensaje y observa la pantalla tratando de tapar la indiscreta luz que sale de la misma. Es Él.

—No trates de huir, amiga. No te merece la pena…

Asustada, bloquea el teléfono y lo vuelve a guardar. Asoma la nariz por el mármol del portal para tratar de distinguir algo entre las sombras, pero no ve nada. Traga saliva y trata de llenarse de valentía, aunque las piernas no la obedecen. Tras unos angustiosos segundos, por fin se decide y vuelve a correr a la desesperada calle abajo. Cruza sin mirar a pesar de tener el semáforo cerrado, pero le da igual. Solo quiere llegar a la comisaría del barrio, pero aún le quedan dos manzanas hasta su destino.

Al torcer la esquina para llegar a la calle principal, se choca de bruces contra algo o alguien y cae de espaldas, golpeándose la cabeza contra el bordillo de la acera. Aturdida, trata de incorporarse, pero una enorme bota le presiona el pecho. Aunque su vista está borrosa, consigue distinguir una figura. Tiembla de terror.

—¡Por favor, déjame en paz! —ruega la chica con voz temblorosa.

—Lo haré cuando termine lo que empecé. Es inútil que sigáis escondiéndoos.

En ese momento, un enorme lobo aparece caminando hasta situarse junto a ellos. No deja de relamerse contemplando el cuerpo tembloroso de la muchacha, que lloriquea como una niña. En el silencio de la noche, solo la luna es testigo de tan dantesca escena.

—¡Haré lo que sea! ¡Lo que quieras!

—Oh, claro que lo harás. De hecho, ya lo estás haciendo.

La primera dentellada le deja al aire la yugular. La siguiente le arranca de cuajo la vida. Entre espasmos, un río de sangre circula calle abajo, dando paso al horror.

Ya puede empezar su festín.

2

La tarde finaliza con una ligera neblina, más propia del otoño que del final del verano. La estampa amenaza lo que ha sido una bonita tarde; una leve brisa mece con suavidad los árboles que permanecen fieles al parque que hay junto al camposanto de Villa de Vallecas.

Los jardines cada vez menos cuidados comienzan a poblarse de hojas secas mezclándose con la porquería que suelta la gente sin miramientos, la cual acabará por pudrirse en las calles. Suciedad que empieza a ser una seña de la ciudad.

El pequeño cementerio, engullido por los bloques de pisos que lo rodean, se conserva bastante bien a pesar de su antigüedad. Sus viejos terrenos hacen ahora las veces de parque público, donde los niños y sus familias acuden cada tarde a desfogarse un poco de su ajetreado día a día. El césped, con numerosas calvas rellenas de tierra, sirve de improvisado campo de fútbol para los chavales del barrio. Los más mayores prefieren la oscuridad que ofrecen los árboles para dar rienda suelta a sus botellas de alcohol recién compradas en el chino de la esquina.

Es viernes quince de septiembre, y Yaiza juguetea con los pies descalzos sentada en la hierba. A pesar de la fecha, el calor es aún intenso y todavía no hace como para guardar la ropa de verano.

Con las sandalias a un lado, la muchacha observa el horizonte en busca de alguno de sus amigos, que ya llegan bastante tarde. Mira la hora en su móvil por cuarta vez en apenas tres minutos. Comprueba también el WhatsApp.

—No sé por qué quedan a una hora si siempre hacen lo que les da la gana —murmura por lo bajo. Se decide a escribirle un mensaje a Laura—: «Llevo sentada en este simulacro de parque veinte minutos…».

Comprueba satisfecha que lo ha leído, ya que el doble *check* azul se chiva de manera bastante indiscreta.

—«Estoy entrando en el parque, agonías».

Yaiza sonríe ante la respuesta de su amiga y trata de buscarla sin éxito. A los pocos segundos comprueba que, en efecto, Laura sube por el camino de tierra junto a Cifu, su chico.

Yaiza se calza. Se incorpora y se sacude el culo con ambas manos para quitarse el polvillo de lo que un día fue césped.

—Hola, parejita. Ya pensaba que me quedaría aquí sola dando de comer a las palomas.

—Si ya nos conoces de sobra, Yaiza. Sabes que este tío siempre tarda media vida en acicalarse; parece una princesa —responde Laura, mirando de reojo a su chico.

—Ya estamos con lo de siempre. ¿Qué pasa? ¿Uno no puede arreglarse un poquito? —protesta Cifu, cansado de la misma broma de su novia.

—Un poquito, para ti, son tres cuartos de hora ante el espejo. Posturitas incluidas.

A Cifu siempre le ha gustado ir a la última, cuidando mucho su aspecto aunque sin dejar de lado su lado rebelde: sus innumerables *piercings*, tatuajes y constantes cambios de peinado hacen de él un tipo peculiar. Pero, lejos de su apariencia *hipster*, se esconde una persona tímida y a la vez bastante divertida.

Fue precisamente eso lo que terminó de enamorar a Laura, una de sus mejores amigas desde que acabaron la universidad. Aquel paso fue determinante para los dos.

Yaiza hace el amago de andar, pero enseguida se detiene al observar que sus amigos se han quedado quietos, mirándola con cara de circunstancias.

—¿Qué pasa, chicos? ¿No pensaréis en serio que vamos a quedarnos en este parcucho? —protesta Yaiza.

—No. Tenemos que esperar a PJ. Tiene que estar al caer.

Laura no termina de decir esas palabras cuando la voz de un hombre resuena tras ellos: un chico alto, delgaducho y con un simulacro de perilla que evidencia su juventud. Lleva unas gafas de sol, y su pelo oscuro y rizado le da un aspecto de descuido. Viste completamente de negro. Tras mirar con timidez a Yaiza, se sube las gafas en un acto inconsciente y se detiene frente a los chicos.

—Buenas. Hola, Laura. —PJ se lanza a darle dos besos, mientras choca el puño derecho con Cifu.

—Hola, chaval. Has aparecido como un fantasma.

—Estoy acostumbrado, ya lo sabes.

—Te presento a Yaiza, la chica de la que te hablé. —Laura señala con la cabeza a su amiga, la cual, roja como un tomate, dedica una media sonrisa al muchacho.

—Hola… —musita sin que apenas se la entienda.

PJ, sin contestar al saludo, le da un par de besos. Todos callan, pero las miradas entre ellos evidencian un incómodo momento.

—Bueno, ya estáis presentados. Si queréis nos vamos a una terraza a tomar algo —propone Cifu.

—¡Sí, por favor! Este parque me da muy mal rollo, tan cerca del cementerio.

—Dentro de un cementerio es donde más tranquila deberías sentirte, Yaiza —responde PJ sin quitarle ojo a la valla metálica que cierra las puertas del camposanto.

Todos comienzan a andar hasta que desaparecen tras el primer edificio de la calle.

Los rayos del sol desaparecen al son de las luces de las farolas que, pegando leves destellos, empiezan a tomar protagonismo en las calles del barrio.

Los amigos ya están sentados en El Francés, una de las cervecerías más conocidas de Vallecas. Manolo, su carismático camarero, hace volar con maestría la bandeja por encima de las cabezas de los clientes, que no dejan de levantar sus manos en busca de ser atendidos.

—¡Un momentito, parejita! —vocifera Manolo ante la insistencia de una mesa que pide la cuenta con unos aspavientos exagerados—. Qué pesaditos —murmura.

Cifu ha ido un momento al baño acompañado de PJ con la excusa de hacer sus necesidades, pero su intención no es otra que la de atusarse un poco el flequillo.

Las chicas hablan entre risas sin percatarse de las miradas provocadoras de tres chavales que no les quitan ojo desde otra mesa.

—Bueno, ¿qué te ha parecido? Es guapete, ¿eh? —Laura comienza a ejercer de Celestina.

—Sí, es majo. Un poco serio, diría yo.

—David es un tío súper divertido, pero ahora no atraviesa su mejor momento.

—¿David?

—Sí, así es como se llama, pero lo conocemos desde el instituto como PJ.

—¿Le ha pasado algo? Lo pregunto por lo que me has dicho. Eso de que no atraviesa por su mejor momento. —A Yaiza le ha picado la curiosidad.

—Bueno, este verano mi chico y él iban a ir juntos a hacer el Camino de Santiago. Llevaban mucho tiempo preparándose para ello. Era una ilusión de PJ, que por lo visto se lo prometió a su padre poco antes de que muriera hace cuatro años. Pero a Cifu le salió trabajo en junio y al final no pudo acompañarlo.

—Vaya. Ahora entiendo su actitud —responde Yaiza.

—No, no; PJ tiene más que superado lo de su padre. Fue una enfermedad larga. Cáncer, ya sabes. El problema vino cuando llegó a León y comenzó el Camino.

—¿Qué le pasó?

—No pasó nada —interrumpe PJ de manera muy brusca.

Las chicas se sobresaltan y callan al verse sorprendidas, provocando un leve enrojecimiento en las mejillas de Yaiza. No puede evitar sentirse un poco violenta. Cifu guarda silencio también mientras se sienta junto a Laura.

Un silencio incómodo se apodera de la mesa mientras Laura dedica una mirada de reojo a PJ, que juguetea con un palillo. Cifu aprovecha para sacar su estrambótico cigarro electrónico para ponerse a vapear.

—Bueno, ¿pedimos o qué? —pregunta PJ sin levantar la mirada.

—Sí, Manolo ya nos ha visto —responde Laura, levantando las cejas hacia el camarero.

Tras pedir la comanda, el silencio vuelve a apoderarse de los chicos. PJ parte el palillo en dos y lo tira con desgana al suelo. Acto seguido, mira a Laura con gesto serio. Hace lo propio con Cifu. Parece que va a hablar.

—Es una tontería que sigamos con esto. Me siento incómodo y no debería estar aquí. Y vosotros tampoco.

—David, es la primera vez que te animas a salir desde que volviste de Galicia. Creo que va siendo hora de que me cuentes de una puta vez qué cojones te pasó allí —protesta Laura, levantando la voz.

—¡Si no te he contado nada es por tu propia seguridad! —grita PJ. Golpea la mesa con el puño y provoca que se caiga al suelo el servilletero.

Toda la terraza enmudece mirándolos. PJ permanece en pie sin percatarse de ello, con las manos apoyadas sobre la mesa. Mira fijamente a Laura. Cifu se levanta y apoya la mano derecha en el brazo de su amigo. La aparta de inmediato. Yaiza no sabe dónde meterse.

—PJ, mi niño: cálmate. Vamos a otro sitio. —Laura trata de tranquilizarlo.

—¡Os he dicho que no deberíamos estar aquí! ¿Por qué has tenido que hablar de eso?

—¡Pero si no me dices por qué estás así, no puedo ayudarte!

—¡No necesito tu ayuda! ¡Y tampoco citas trampa para que me obliguéis a salir!

—Bueno, creo que me voy a ir, chicos. Siento mucho todo esto, es por mi culpa. —Yaiza se levanta y se cuelga el bolso del hombro.

—No, espera. Insisto en que hablemos, PJ, y va a ser ahora. —Laura no piensa dejar el tema así.

PJ se sienta sin dejar de mirarla. Tras pasar unos segundos perdido en sus pensamientos, por fin relaja su rostro. Los murmullos brotan de cada mesa mientras el camarero espera junto a un compañero por si la cosa pasa a mayores.

—Está bien. Pero no podemos hablar aquí, vámonos a mi casa —indica PJ.

Todos se levantan y, en silencio, abandonan la terraza dejando a un cariacontecido Manolo con la bandeja llena y si entender nada.

Llegan al coche de PJ. Todos suben y desaparecen calle abajo, hasta coger la Avenida de la Albufera en dirección al barrio de Miguel Hernández.

Tras un recorrido corto y en un absoluto silencio, el viejo Ibiza color verde botella de PJ llega hasta su calle. El chico maniobra con desgana hasta aparcar cerca de su casa. Sin más ruido que el de sus propios pasos, suben hacia el piso del muchacho.

Es un apartamento de una habitación tipo *loft* de apenas cuarenta metros cuadrados. El alquiler es muy barato, lo cual le permite pagarlo él solo.

El desorden se hace evidente nada más cruzar el umbral. Yaiza tropieza al entrar con una caja llena de trastos. Raro para alguien como PJ, que siempre ha sido un maniático del orden.

Simba, el gato que le acompaña, sale del baño y se restriega contra la pierna de su dueño dándole su particular bienvenida; después, huele el pie derecho de Yaiza y, con un gesto de indiferencia, vuelve por donde ha venido. Es evidente que el chico está preparando una mudanza.

Cifu y Laura se sientan en un pequeño sofá azul que preside el centro de la casa, mientras una incómoda Yaiza se queda de pie esperando algún tipo de explicación.

—¿Puedo vapear, PJ? —Cifu enseña su extraño artilugio.

—Haz lo que quieras.

PJ se sienta en el suelo junto a un montón de CDs aún sin guardar. Respira hondo y, tras tragar saliva, mira a Laura con ojos vidriosos. Cifu duda, pero finalmente enciende su cigarrillo electrónico. Suelta una bocanada de vapor.

—Solo os voy a decir una cosa, y no lo diré una segunda vez: si decidís escucharme, estaréis también en peligro.

—Vamos a ver, David: no mataste a nadie, ¿verdad? Pues entonces, no entiendo lo del peligro. —Laura frunce el ceño en un gesto de preocupación.

—Es que no lo vais a entender. Y no es una cuestión mía, sino de... —PJ calla de repente, consciente de que está empezando a hablar de más.

—¿De quién? ¿Fue algo que te pasó allí? —pregunta Cifu, preocupado.

—¡Está bien! Pero espero que no tengáis planes para esta noche, porque tenemos para largo.

3

El ruido característico de la cafetera suena en la cocina. PJ sale disparado para apagar la vitrocerámica. A los pocos minutos, reaparece en el pequeño salón portando una bandeja con varias tazas y un azucarero. Con cierta parsimonia, el muchacho lo deja todo sobre la mesita de centro que tiene frente al sofá. Laura lo acompaña y deposita el azúcar y varias cucharillas.

Todos callan esperando a que por fin David hable, pero parece que no tiene demasiada prisa. Con mucha calma, se sirve tres generosas cucharadas de azúcar mientras lo remueve con la mirada perdida. El tintineo del metal contra la cerámica incomoda a Yaiza, que sigue sin saber qué hace en aquel lugar.

PJ bebe un ligero sorbo y, tras unos eternos segundos, deja la taza sobre la mesa y carraspea profundamente.

—Cuando preparé el viaje con Cifu, lo primero que hicimos fue apuntarnos a un gimnasio. Desde que dejamos el instituto no habíamos hecho mucho deporte, que digamos. Lo hicimos cuatro meses antes y el monitor, sobre todo, nos machacó las piernas. Andad mucho, nos dijo. Cada tarde, al salir, hacíamos el trayecto andando en vez de coger el metro, y eso nos suponía al menos una hora.

—Menuda paliza nos daba el cabrón ese. Todavía me duelen las piernas —añade Cifu, recordando al monitor.

PJ ni le mira. Aprieta los labios, molesto por ser interrumpido. Vuelve a beber de la taza mientras Cifu, al percatarse de ello, hace lo propio y mira de reojo a Laura, que le hace un gesto de silencio. Apaga su cigarrillo por precaución.

—Salí de la estación sur de autobuses a las siete de la mañana, el uno de julio. Llevaba una mochila con la tienda de campaña, el saco de dormir, ropa como para no volver en seis meses y algo de comida para ir tirando los primeros días. Un mapa del Camino Francés, una linterna y una brújula cerraba el equipaje. No sé si fueron seis o siete horas de viaje, ya que me quedé sobado al poco de arrancar. El madrugón había sido interesante. Me despertó el conductor con el micrófono, vociferando que estábamos llegando a Villafranca del Bierzo, en León. Al bajar y recoger mis cosas, enseguida eché en falta a Cifu; la verdad es que fue una auténtica putada cuando me dijo que le había salido aquel trabajo tan inoportuno.

—Inoportuno y muy necesario, PJ —interrumpe Laura.

—Sí, lo sé, lo sé. Por eso no le dije nada cuando me lo comentó; no soy un monstruo, y sabía de sobra de la necesidad que teníais de ese sueldo. Pero una promesa es una promesa, y por eso no cancelé los planes: si tenía que andar solo, lo haría. Como llegué a mediodía ya no podía ponerme en camino, por lo que decidí dar una vuelta por el pueblo y comer algo en un bar con aspecto de tasca antigua. Aquel antro estaba lleno de abuelos tomando el chato de antes de comer. Al entrar, el murmullo de voces cesó para hacerme un buen repaso visual, justo antes de volver a ignorarme y seguir con sus charlas futboleras. Todos menos una chica que permanecía sentada al fondo del bar, comiéndose un buen bocadillo. Cosa que, por cierto, me provocó un tremendo crujido en el estómago.

—¿Dónde dormiste esa noche? —pregunta Yaiza.

—Conseguí un sitio gracias a una anciana extraña que regentaba un albergue. Y también a la chica que no dejaba de observarme mientras masticaba con ansia el bocadillo.

En ese preciso momento, suena el móvil de PJ que comienza a botar por la mesita de centro. A Laura se le escapa un ligero grito del susto. Todos callan y el chico se levanta del sofá y mira la pantalla con cara de extrañeza. Contesta.

—¿Sí...?

Los ojos de PJ se abren como platos y, sin perder ni un segundo, cuelga el móvil. Se levanta del sofá como un rayo y se dirige hacia la puerta de entrada; observa por la mirilla muy nervioso y corre la cadena de seguridad sin dejar de observar al exterior.

Da media vuelta y, con las manos en la cabeza, resopla como si fuera un búfalo. Laura reacciona y le abraza por la espalda, pero PJ ni se percata del gesto de su amiga.

—Pero ¿qué está pasando? ¿Quién te ha llamado?

—Es Él. Creía que todo había acabado, pero no es así. Esto no puede estar pasándome otra vez.

—Cariño, vas a tener que contárnoslo todo si quieres que te ayudemos, porque no entiendo nada —ruega Laura, mostrando un gesto tranquilizador.

PJ se sienta y agacha la cabeza. Tras un largo silencio, abre un cajón que hay en el mueble del salón y saca una caja de zapatos. La abre, y en ella se ven unos cuantos papeles y fotografías. También hay una piedra semitransparente. PJ coge una de las fotos. Tras observarla con detenimiento, la muestra a sus amigos.

—Esta es Esther. La chica que conocí nada más llegar…

4

Villafranca del Bierzo, León. 15:00 h.
Unos meses antes.

El humo de los puros de los parroquianos inunda la estancia de esta vieja tasca; parece que las leyes antitabaco que impuso el Gobierno en su momento pasan inadvertidas en este lugar, dado que una pareja de la Guardia Civil, más propia de un cómic de Mortadelo y Filemón que de un cuartel, fumetea mientras se toman un café.

PJ otea el horizonte sin muchas ganas de quedarse a comer en semejante antro, pero el hambre parece no darle tregua al muchacho. Entre empujones, logra acercarse a la barra dejando caer su enorme mochila al suelo.

El dueño de la tasca lo observa con una mueca de desagrado, harto de tanto peregrino que apenas entra para pedir un vaso de agua o para que le sellen la credencial que, *a posteriori*, otorga el diploma de peregrino al llegar a Santiago.

—¿Qué va a ser, joven? —rebuzna el camarero levantando una ceja.

—¿Tenéis bocadillos?

—La cocinera ya se ha largado, chavalote, pero te puedo poner algo en el pan.

PJ alza las cejas ante la respuesta de aquel tipo, que suda como una gorrina que acaba de subir un monte para comer bellotas.

—¿Y de qué me puede usted rellenar el bocadillo? —pregunta PJ sin muchas esperanzas en la respuesta.

—Tengo algo de tortilla de patatas y embutido. Pero nada que se tenga que cocinar, ni planchas ni *ná*…

—Bueno, pues póngame la tortilla y una Coca Cola. Me voy a sentar a la mesa del fondo.

—Me parece muy bien, pero cuando esté te vienes a por ello.

Con un poco disimulado resoplido, el tipo da media vuelta y, de mala gana, comienza a partir media barra de pan mientras se seca el sudor con el antebrazo.

PJ prefiere no mirar, tiene hambre y no quiere comer con asco. En la mesa de enfrente, una chica lo mira con gesto divertido. PJ levanta ligeramente la cabeza a modo de saludo y sonríe, acto que provoca que la chica se levante cogiendo su vaso y se siente junto a él.

—Menuda mierda de sitio, ¿verdad? —comenta mirando a la barra.

—Sí. Desde luego, deja mucho que desear.

—Me llamo Esther, y perdona mi descaro pero estoy más aburrida que una mona. Eres lo más parecido a mí que he visto en todo el pueblo. —Esther suelta una sonora carcajada que hace que medio bar se vuelva hacia ella.

—Encantado, Esther. Mi nombre es David, aunque mis amigos me llaman PJ. Es por mis apellidos; muy originales, ellos…

—Pues, David, digo… PJ, creo que tu superbocadillo ya está listo. —Señala a la barra, donde el desagradable camarero hace aspavientos con los brazos para hacerse ver.

El chico se levanta con parsimonia y coge el plato donde su bocadillo descansa listo para ser devorado. La tortilla rebosa por los lados, manchándolo todo de grasa.

—Son seis euretes, chico —comenta el tipo mientras termina de llenar el vaso con el refresco.

—Tome, muchas gracias.

—¡Que lo disfrutes con salud! —Suelta una risotada mirando a los demás clientes, que le ríen la gracia.

PJ vuelve a la mesa donde Esther se encuentra trasteando en su móvil con cara de pocos amigos.

—¡Mierda de cobertura! Si te has traído el móvil, vete olvidándote de poder ver el Facebook y esas cosas. Aquí los datos son una basura.

—Más bien, he venido a desconectar de todo eso.

—Pues chico, yo no puedo. Estoy muy enganchada a todas las redes sociales que existen.

—Yo también tengo mis cuentas, pero al final acabas cansado de tanto amigo virtual. Prefiero el *face to face*. Voy a comerme este mamotreto antes de que muera de inanición.

—Sí, tú come tranquilo.

PJ se siente un poco incómodo ante la insolencia de la chica, aunque prefiere eso que comenzar solo la larga travesía que le espera.

—Llegué cuando la cocinera estaba a punto de marcharse. Al menos, el mío estaba calentito. —Esther sonríe mientras observa cómo PJ trata de disimular con la mano su boca llena de tortilla.

Una vez terminado, recogen sus mochilas y se levantan al unísono. Al salir a la calle reciben un buen bofetón de calor. Es entonces cuando PJ observa con más calma a su nueva amiga: de unos veintitantos años, pelo castaño claro y ligeramente ondulado. Unos ojos de un azul intenso, de piel muy blanca y cuerpo perfectamente torneado.

Esther se seca el sudor y mira a PJ con cara de circunstancias.

—¿Has venido solo? —pregunta, curiosa.

—Sí, por desgracia sí. El Camino lo preparé con mi colega Cifu, pero todo se torció en el último momento. ¿Y tú?

—A ratos. Se supone que vine con mi amiga Adela, pero como tenemos diferentes ritmos a la hora de caminar, es fácil perderla la pista. De hecho, creo que aún está en el pueblo de al lado.

—O sea, ¿que no empezáis aquí?

—No, somos unas valientes y comenzamos en Roncesvalles, Francia. Vamos, lo que es el Camino enterito.

—Pues ya debes llevar una buena paliza en las piernas.

—Más bien en los pies. Si te enseño la señora ampolla que me acompaña desde la primera etapa, alucinas. Las chicas de la Cruz Roja ya se han hecho amigas mías y todo. —Esther vuelve a reír a carcajadas, mientras mueve el pie herido con fuerza—. Pero ya no me duele —prosigue la chica—. Si no te importa, y para que no vayas solo, puedes unirte al grupo.

—¿Grupo? ¿No sois solo dos? —pregunta PJ, confundido.

—Sí, pero aquí acabas conociendo a mucha gente, aunque pocos españoles. De tanto coincidir en los albergues y caminos, al final les acabas cogiendo cariño.

—¡Pues tengo muchas ganas de empezar a andar!

—Ya te arrepentirás de tus palabras, PJ. El Camino es duro, más de lo que te hayan contado; pero a su vez, muy reconfortante. Ya lo entenderás.

—Llevo entrenando varios meses en un gimnasio, y…

Esther interrumpe al chico con otra sonora carcajada, dejando caer la mochila al suelo y apoyándose con las manos en el bastón de madera que le sirve de apoyo.

—¿He contado algún chiste? —PJ comienza a no entender el extraño sentido del humor de la chica.

—Cariño, conozco a varios peregrinos que parecen *croissants* de lo hinchados a músculos que están, y alguno de ellos ya estará en su casa curándose las heridas del Camino.

—Bueno, mañana te diré si me ha servido de algo o no entrenar. Por cierto, ¿dónde vas a dormir?

—Si hay suerte, en el albergue; si no, tendré que tirar la tienda de campaña en el bosque.

—Pero ¿no se supone que en año Jacobeo duplican los alojamientos a los peregrinos?

—Eso es lo que te venden, pero cuando quieres llegar al pueblo de destino, están ya hasta el culo. Si tienes algo de fortuna, el Ejército suele distribuir tiendas de campaña de tamaño industrial, pero ya te digo que eso es una puta mierda. Montón de peña apretujada, y un olor a pies que dan ganas de vomitar.

—No suena bien, no señor. He traído mi tienda. Ya me habían comentado algo parecido a lo que tú me estás explicando.

—Pues vente a ver si cuela el dormir esta noche calentitos y en un colchón como Dios manda.

—Te sigo. ¿De dónde eres, por cierto?

—De Barcelona. Tú, por el acentazo, seguro que de Madrid.

—Pues sí. Pero los de Madrid no tenemos…

—¿Que no? Egggggque… —Esther vuelve a reír con gesto divertido, dándole una palmadita en la espalda a PJ.

La chica comienza a andar. PJ la sigue, curioso. No deja de sorprenderse ante su fuerza y espontaneidad.

Llegan a una especie de casa rural adornada con la famosa concha del Camino y un letrero que reza: «Albergue Los Lobos». Esther entra, decidida, y se apoya en una mesa de madera vieja que hace las veces de mostrador. A los pocos segundos aparece una señora de unos setenta años; viste unas ropas oscuras y roídas. El pelo blanco y largo le cae a media espalda. Su rostro, carcomido por el paso de los años, marca unas profundas arrugas y unos ojos pequeños y oscuros. Su cara es de hacer pocos amigos.

Le da un buen repaso a la muchacha y mira hacia la entrada, identificando a PJ. Parece que le gusta tenerlo todo bajo control.

—Si busca alojamiento, señorita, llega tarde. Aquí no entra ni una mosca.

—¡Pero si son las cuatro de la tarde, señora! Faltan cientos de peregrinos por llegar al pueblo.

—Pues este albergue está lleno. O caminas al pueblo de al lado y rezas, o te vas al monte con los lobos. Quizá con ellos te sientas mejor —gruñe la vieja, frunciendo el ceño.

—Pues muchas gracias, señora. —Esther hace el amago de dar media vuelta.

—Espera… —Interrumpe la marcha de la chica con un gesto de la mano.

La extraña vieja mira con gesto muy serio a Esther y, saliendo del mostrador, se le acerca a escasos centímetros. Puede notar su respiración y su desagradable aliento. Acto seguido, vuelve a mirar a PJ y, al hacerlo, esboza un ligero gesto de sorpresa.

—Sé que tu intención es llevarlo ahí arriba, al monte. Yo no dormiría allí, niña.

—No está prohibido acampar en el bosque durante el Camino, siempre y cuando no haga fuego; ya pregunté al SEPRONA —protesta Esther.

—Conozco perfectamente las normas de mi tierra, niña. Y como he nacido aquí, te digo que no duermas en el monte.

—Pues no tengo otro remedio si su albergue está atestado de gente y el siguiente pueblo está a dos horas.

—Creo que no debo estar explicándome con claridad: estás en El Bierzo, tierra de lobos y de leyendas. Lugar para soñar de día, pero para temblar a la noche. Vete al pueblo y habla con los militares; ellos te darán cobijo.

Ambos callan ante el consejo de la anciana, el cual ha sonado bastante amenazador y desconcertante. La señora retrocede y vuelve al mostrador, donde anota en un viejo cuaderno una dirección. Arranca la hoja y se la acerca a Esther que, con la sonrisa borrada de un plumazo, la acepta con gesto de desconfianza.

—Ve a esa dirección y di que vas de mi parte. Dile que te manda la vieja de Los Lobos y no tendrás problemas; allí podrás pasar la noche y te darán de cenar.

—Pero no voy sola, señora, me acompaña...

—Sé de sobra que no estás sola, insolente —interrumpe de mala gana a Esther.

La vieja sale del albergue y se acerca a PJ, el cual observa la escena sin entender nada. Saca una especie de piedra muy pulida del bolsillo de su bata desgastada y sucia, y se la extiende al chico.

PJ acepta el ofrecimiento y la mira con detalle. Es un cuarzo, o algo parecido. Parece transparente.

—Guárdalo y no lo pierdas, pues llegará el momento en que lo necesites. Ve siempre con él, y cuidaos mutuamente. Él ya está rondando los montes, y no es seguro permanecer en ellos al caer la noche.

—No lo entiendo, ¿quién ronda el monte? —PJ comienza a asustarse.

—Mejor que no llegues a averiguarlo nunca, hijo. Tengo que atender a mis huéspedes. Te deseo un feliz Camino.

Tras estas palabras, la señora abandona la entrada para perderse en el pasillo que da a una de las estancias.

Los chicos callan pensando en las palabras de aquella extraña mujer, mientras PJ sostiene en la palma de la mano la piedra, sin ser consciente de ello. Esther lo mira y esboza una sonrisa.

—¿Y ahora de qué te ríes? —gruñe el chico ante una nueva burla de Esther.

—Es que pareces Frodo Bolsón sujetando el Anillo Único.

PJ cierra con fuerza la mano y, con una mueca de rabia, se guarda en el bolsillo la piedra. Se echa la mochila al hombro y, mirando de reojo a Esther, comienza a caminar con cara de pocos amigos.

La chica echa un vistazo al papel y saca un pequeño plano que tiene en uno de los bolsillos laterales de su mochila. Tras estudiarlo unos segundos vuelve a doblarlo y, con gesto de satisfacción, señala con el dedo un pequeño camino de tierra que sale del pueblo.

—Es por ahí, mi pequeño y nuevo amigo.

—Pues vamos, que estoy reventado y necesito dormir un poco si mañana quiero ponerme a andar. Esto ha empezado con demasiadas anécdotas.

—Bueno, si yo te contara las que llevo desde que salí de Francia... Podría escribir una novela sobre el Camino y eso que aún me queda la mitad por andar.

—Pues coge apuntes. —PJ está cansado y comienza a andar hacia el camino señalado sin esperar a Esther.

Esta le sigue, levantando las cejas con gesto de resignación mientras vuelve a estudiar el plano para asegurarse de que no van en mala dirección.

El camino de tierra comienza a adentrarse en un tramo boscoso, aunque todavía está dentro del pueblo. PJ no deja de mirar a los árboles; el consejo de aquella vieja lo ha dejado algo tocado y todo le parece extraño en aquel lugar.

Al cabo de unos minutos, aparece al final del camino una cabaña de madera con una pronunciada chimenea. Cuando quedan apenas unos metros para llegar a la puerta, un enorme perro sale de manera inesperada de una especie de caseta fabricada en piedra, ladrando con fuerza. Se queda a los pies de Esther, que al retroceder cae de culo por el peso de su mochila. La gruesa cadena que lo retiene ha evitado males mayores, mientras PJ la ayuda a levantarse.

—¿Estás bien?

—Sí. Menudo susto me ha dado el puto perro de los cojones. Casi se me sale el corazón por la boca. —Esther trata de recobrar el aliento.

El dogo, que parece de la raza Husky Siberiano, no para de ladrar ni de lanzar gruñidos amenazadores. Muestra sus afilados dientes arrugando el hocico. De pronto, se calma sin motivo aparente y mira al lateral de la cabaña, donde un hombre de unos sesenta años aparece sujetando una cesta repleta de leña recién cortada. Observa a los chicos y deja caer la madera; se acerca al perro y le acaricia con suavidad la cabeza sin dejar de mirarlos.

—Buen chico, buen chico. Siempre defendiendo al amo.

—Esto… perdone el habernos acercado sin previo aviso, señor, pero nos han dado su dirección y por eso estamos aquí. —Esther le extiende el papel que la vieja le dio.

El hombre se acerca y coge la nota. Saca unas gafas del bolsillo de su camisa de cuadros rojos y blancos y las sitúa en la punta de su nariz. Lee con detenimiento y, acto seguido, levanta los ojos para volver a ver los rostros de los chicos.

—Así que la vieja os manda a visitarme. Esa loca siempre con sus ocurrencias —gruñe.

—Su albergue estaba lleno, y al decirle que acamparíamos en el bosque, nos sugirió que antes viniéramos aquí —comenta Esther sin quitarle ojo al perro, que también la mira desafiante.

—¿El bosque? ¡Oh!, ni se os ocurra pernoctar ahí arriba, no señor. La vieja del demonio ha hecho bien por una vez al aconsejaros que vengáis a mi casa. Pasad, no os quedéis ahí como pasmarotes. —El hombre señala con la mano la entrada de la cabaña.

Esther mira con miedo al animal, que no deja de gruñirle. El señor, al percatarse, empuja de mala gana al perro con la pierna y este retrocede. Se mete en su pequeña guarida de piedra, dejando fuera solo la cabeza.

—Es un buen perro, este Yester, pero lo tengo bien entrenado y no le suelen gustar mucho los extraños. Y menos en esta época. Hay que tener bien abiertos los ojos y en buena forma los cinco sentidos.

—Por aquí no creo que reciba usted muchas visitas, ¿verdad? —pregunta PJ mientras avanza hacia la entrada.

—No, la verdad es que no, muchacho. Es más que nada por pura precaución. No son buenos tiempos para andar perdido por estos lugares. Los más viejos de la zona lo sabemos bien.

El hombre vuelve a por la leña y, dándole una patada a la puerta, se introduce en la casa con ella. Los chicos se miran con gesto serio y lo acompañan, cerrando a su paso.

El hombre deja la cesta junto a la chimenea de piedra y se deja caer con todo su peso en un pequeño sofá, soltando una interesante polvareda. Carraspea profundamente y mira a los chicos con gesto divertido.

—¡Pero sentaos, hombre! Os noto muy tensos; no os preocupéis por nada. Dentro de estos muros estaréis tranquilos y a salvo.

Los dos obedecen. Tras dejar en el suelo junto a la pared sus mochilas, se sientan en las sillas que hay junto a una mesa de madera.

En el interior de la cabaña se respira un agradable olor a madera y todo gracias a su estructura. Varios cuadros típicos de las cacerías con perros adornan una de las paredes, mientras otro enorme de un bodegón, con frutas y varios alimentos, preside la chimenea. Una puerta cerrada al fondo del salón hace entender que la casa no acaba ahí.

—Mi nombre es Esther, y mi amigo se llama David.

—PJ. Me llamo PJ —interrumpe el chico.

—¡Perdonad mi mala educación al no presentarme! Me llamo Vicente, Vicente Gil, y soy natural del Bierzo. Dejad de llamarme de usted que me hacéis sentir un viejo carcamal. —Vicente suelta una ronca carcajada.

—Pues encantados de conocerte, Vicente. Y ya que estamos entrando en confianza, me gustaría hacerte un par de preguntas, si no es molestia —indica Esther.

—Claro que no, muchachita. Estoy acostumbrado a estar solo, por lo que me encanta tener una agradable conversación. Dispara tu curiosidad.

—Tanto la señora del albergue como usted...

—¡De tú, por favor! —interrumpe Vicente.

—Perdón, es la costumbre de tratar con gente mayor. Pues eso, quería decir que tanto tú como la señora habéis hecho mucho hincapié en lo de no dormir en el bosque. Yo he dormido junto a mi compañera Adela desde que salimos de Francia varias veces en el monte y no ha pasado nada. ¿Debemos saber algo que no sepamos?

El rostro de Vicente cambia de manera radical, pasando a un rictus serio. Se levanta del sofá maldiciendo su perpetuo dolor de espalda, y se acerca a la chimenea; a duras penas consigue agacharse y, arrastrando varios leños quemados con un hierro ennegrecido por el hollín, saca un mechero de su camisa y coge un tronco de los que traía.

PJ se le acerca al ver que le está costando mucho. El hombre lo agradece.

—Maldito dolor de espalda. Va a acabar conmigo —gruñe Vicente, echándose la mano a la columna.

Con varios periódicos enciende el fuego, y con una pequeña fragua comienza a avivarlo. PJ lo sustituye en un amable gesto, lo que hace que el hombre vuelva a su sofá. Esther espera impaciente.

—Por El Bierzo han rondado toda la vida los lobos, jovencita, no es ningún secreto. Y aunque no suelen atacar a los humanos, no es la primera vez que su curiosidad los hace acercarse demasiado a nuestros montes.

—Conozco a los lobos del Bierzo, Vicente. Pero la vieja, perdón, la señora del albergue, se ha referido a «Él» —señala Esther.

—Esa vieja loca está muy mayor, y siempre anda con sus leyendas. No le hagáis caso. Cuando abandonéis estos montes, el peligro de los lobos desaparecerá. Os quedan muchos kilómetros que andar para ello, eso sí.

—Pues a mí me ha dado esta piedra. —PJ la saca del bolsillo y se la muestra a Vicente.

El hombre la coge y la observa con detenimiento, como si recordase algo al mirarla. Se la devuelve y se recuesta en el sofá mientras su mirada se dirige de nuevo al fuego, cada vez más vivo. El calor se apodera de la pequeña casa.

—Toma, chico. —Le devuelve la piedra a PJ.

—¿No cree que no es tiempo de encender chimeneas? Me estoy asando —protesta Esther.

—No tardará mucho en caer la noche, y esta choza no tiene la calefacción a la que seguramente estáis acostumbrados. O se caldea la casa desde media tarde, o por la noche aquí no hay quien pare. Respecto a eso que te ha dado la de Los Lobos, ya puedes guardarlo bien. —Vicente mira de reojo a PJ.

—Mire, es una simple piedra pulida que se puede comprar en cualquier tienda, o incluso conseguir en el río —contesta PJ, cansado de tanto misterio.

—Claro, muchacho. Es una simple piedra normal y corriente; pero procura no perderla. No hasta que hayáis salido del Camino.

La voz grave de Vicente retumba en la cabaña como si de repente estuviesen dentro de una profunda cueva, y especialmente en la cabeza de Esther, que comienza a sentirse incómoda allí dentro.

Esta se levanta y, poniendo los brazos en jarras, mira a PJ abriendo los ojos como platos.

—David, ¿te parece que demos un paseo por la zona antes de acostarnos? Me apetece respirar un poco el aire puro de estos bosques.

—Sí, bueno. Venga.

PJ se levanta y rebusca en uno de los bolsillos laterales de su mochila, sacando una pequeña brújula y una linterna. Esther lo mira, sorprendida ante la previsión de su amigo.

—No creo que haga mucha falta todo eso. No tengo intención de alejarme de la cabaña —indica Esther, situada frente a la puerta.

—Y harías muy bien, jovencita. No es conveniente que ahora que estáis aquí, os perdáis y os alcance la noche, o… —Vicente recula, siendo consciente de que ha estado a punto de hablar más de la cuenta.

—¿O qué? —pregunta Esther, frunciendo el ceño.

—Nada, niña. Aquí anochece antes, y si no conocéis el terreno bien, puede resultar peligroso. De todos modos, Yester os acompañará.

—¿El perrazo asesino de ahí fuera? —gruñe PJ.

—Mi perro tiene muchos defectos, entre ellos el de mearse en la puta puerta, pero no es mal perro. Os defenderá si ve algo raro.

Esther sale de la casa, y enseguida Yester se levanta del suelo gruñendo desafiante. PJ sale detrás y mira desconfiado al perro, que enseguida se calma al ver a su dueño.

Vicente se le acerca y suelta la cadena del collar que rodea el cuello del animal, pero lejos de abalanzarse contra los chicos, este se queda sentado moviendo el rabo mientras es acariciado por el hombre. Acto seguido, Vicente se agacha a duras penas y le susurra algo al oído. Después, mira a los chicos.

—Lo dicho, no os alejéis demasiado. Voy a ir preparando algo de cenar para cuando regreséis, ya que el madrugón que os voy a propinar va a ser de campeonato. —Vicente suelta una estruendosa risotada.

—Descuide, es solo por relajarnos un poco. Estaremos ahí mismo.

Esther comienza a andar junto a PJ siguiendo un camino casi borrado por la maleza que crece salvaje en sus márgenes, mientras Yester los sigue a una distancia de un par de metros.

PJ se vuelve constantemente sin dar crédito a lo que está viendo, mientras mira a Esther para ver si es solo él quien está sorprendido.

—¿No te parece flipante que le haya hablado al oído al chucho y ahora nos siga sin rechistar? —pregunta un desconcertado PJ.

—Ha debido ver mucho *El encantador de perros* en la tele.

Los dos ríen desahogadamente ante la ocurrencia de Esther, la cual, viendo una gran roca al lado de un saliente, detiene su paso y se gira hacia ella.

Las vistas desde allí son espectaculares: varias colinas repletas de árboles, sin apenas dejar ver más allá dada su frondosidad. Al fondo, unas montañas adornan el bonito paisaje.

Esther saca una cámara de fotos que lleva colgada de su cinturón y comienza a disparar, tratando de plasmar semejante belleza.

—Venga, ponte que te hago una fotito —le indica a PJ, enfocándole a la cara.

—¡No soy nada fotogénico!

—¡Otro con ese rollo! Si lo importante es el paisaje, no tú… —Esther le guiña un ojo y le saca la lengua en tono burlón.

—Qué graciosa. —PJ al final accede, nada convencido.

Ambos se sientan en la roca, mientras Yester se tumba cerca de ellos pero sin dejar de mirar el camino. Parece que espera algo. O a alguien.

—¿No te está resultando muy extraño el comportamiento de la gente de por aquí? De dos personas con las que hemos hablado, las dos más raras que un perro verde.

—Pues la verdad es que sí, Esther. Mañana lo agradeceré cuando comencemos el Camino.

Yester se levanta como una exhalación y comienza a gruñir mirando hacia el camino. Se le escapa un pequeño ladrido y después vuelve su mirada hacia los chicos.

Es entonces cuando ocurre: un enorme lobo aparece por el sendero a paso lento, como si estuviera paseando. Su mirada está clavada en la de Esther y PJ, los cuales, al percatarse de su presencia, se suben a lo más alto de la roca con un tremendo susto.

El lobo detiene su paso por un momento y los observa con parsimonia. Da la sensación de que les estudia. Un sudor frío recorre la espalda de PJ, que trata de buscar su móvil con cierto disimulo. No quiere realizar ningún movimiento brusco que pueda alterar a la bestia.

Yester continúa gruñendo pero no se mueve de su sitio, mientras el lobo retrocede y vuelve por donde ha venido. Parece que anda a cámara lenta. Da escalofríos la actitud que mantiene. La tranquilidad que manifiesta ha dejado perplejos a los chicos.

Tras unos angustiosos segundos, Yester sale disparado hacia el camino y olfatea el suelo. Parece que ha pasado el peligro. Esther y PJ se bajan de la roca y, sin dejar de mirar atrás, corren hacia la cabaña de Vicente, a unos cuantos metros de allí.

Al llegar, Yester comienza a ladrar muy fuerte, lo que hace que el hombre abra la puerta con gesto de preocupación. Los chicos entran sin siquiera saludar. Vicente vuelve a atar a su perro y se introduce en la cabaña.

Esther permanece en pie dando vueltas por el salón, muy nerviosa. PJ guarda, más tranquilo, la brújula y la linterna en su mochila.

—¿Qué demonios ha pasado? Yester estaba temblando —pregunta Vicente.

—¡Hemos visto un lobo, y era muy grande!

—¿Un lobo? ¿Estáis seguros de eso? —Vicente levanta la voz sin darse cuenta.

—Y tanto. Ha llegado por el camino y se ha detenido frente a nosotros. Ha estado observándonos unos segundos y se ha marchado sin más. ¡Casi me da un infarto! —Esther todavía está muy nerviosa.

Vicente se dirige a la entrada y, sacando una enorme llave de hierro, la introduce en la cerradura y da varias vueltas provocando un sonido metálico que retumba en la casa. Después, echa un cerrojo que está en la parte superior de la puerta, y corre las cortinas.

Se da cuenta de que está asustando a los chicos, pero no puede cambiar su gesto de preocupación. Se frota las manos compulsivamente mientras se asoma con disimulo por una de las ventanas.

El silencio se hace sepulcral, solamente roto por el tictac de un reloj de pared que hay junto a la chimenea y por la madera al ser pasto de las llamas.

—Será mejor que cenemos y que nos acostemos cuanto antes. Esta noche es mejor que pase pronto.

5

Un portazo retumba en la cabaña. Esther se sienta en la cama, sobresaltada. Aún está todo oscuro y no logra ubicarse dado el sueño que todavía se adueña de su cuerpo.

Tras unos segundos tratando de ordenar su cerebro, distingue una tenue luz asomando por debajo de la puerta de la habitación donde duerme junto a PJ: unas sombras que cruzan cada pocos segundos. No lleva su reloj en la muñeca y no tiene ni idea de la hora que puede ser, pero tiene la sensación de que se acaba de acostar. PJ duerme a pierna suelta sin que le alteren los ruidos que Vicente está provocando al otro lado, asomando apenas la nariz entre tanta manta. Tal y como predijo el viejo ermitaño, la noche ha sido fría.

Esther se frota los ojos y, tras estirarse todo lo que puede, se pone en pie y dedica una mirada a su nuevo compañero. Sonríe. Abre la puerta y enseguida ve al hombre trastear en la cocina mientras el fuego de la chimenea apenas es visible. Se acerca a Vicente en silencio y se apoya en el quicio de la puerta.

—¡Coño! Qué susto me has dado, muchacha. —Vicente se sobresalta ante la inesperada visita de Esther.

—¿Qué hora es? —pregunta ella.

—Las seis de la mañana. Os estoy preparando el desayuno y algo para que comáis durante el Camino. Reponer fuerzas es muy importante.

—¿Has dicho las seis? No me jodas… —Esther resopla ante semejante madrugón.

—¿Te parece pronto? Algunos peregrinos salen bastante antes.

—Nunca me había levantado tan pronto para empezar a caminar, la verdad. Desde que salí de Roncesvalles junto a mi amiga Adela, siempre hemos empezado sobre las ocho, aunque otras veces un poco más tarde.

—Pues pocos albergues libres habréis encontrado, ¿me equivoco? —Vicente esboza una media sonrisa.

—Bueno, digamos que no se equivoca mucho.

—¿Y tu amiga? ¿La has perdido en alguna etapa? —comenta con sorna.

—Para ser exactos, en Ponferrada. Empezó a tontear con un italiano que conocimos en una de las primeras etapas y se me ha quedado un poco atrás. En el siguiente pueblo hemos quedado.

—No os conviene separaros, ni de ella ni mucho menos de tu amigo. Te pido que recuerdes bien este consejo.

En ese momento aparece en escena PJ, con un ojo aún cerrado y completamente despeinado. Los observa a los dos y mira su reloj con gesto de sueño.

—¡Buenos días, Bella Durmiente! —Esther le sonríe.

—Pero ¿qué putas horas son estás? ¡Si todavía ni han debido de colocar el bosque ahí fuera! —refunfuña PJ.

—Acostúmbrate, chavalote. Es mejor que te amanezca caminando a que se te haga de noche. Anda, desayunad y guardaos lo que os he preparado —comenta Vicente, sirviendo en la mesa del salón la comida.

Unas tostadas de pan de pueblo con aceite de oliva y un par de tazas de café recién hecho presiden la mesa. Esther se relame.

PJ, sin embargo, mira el plato con cara de asco. No está acostumbrado a desayunar algo que no sea dulce y menos a esas horas tan tempranas. Coge uno de los trozos de pan y se lo lleva a la boca, mordiéndolo ligeramente y volviéndolo a dejar en la mesa. Mira a Esther de reojo, que ya ha dado buena cuenta de su ración.

—¿No te gusta el pan con aceite, hijo? Lo he hecho yo mismo en el horno de leña que tengo —le pregunta Vicente mientras sirve las tazas de café.

—No es que no me guste, es que a estas horas preferiría un par de donuts con chocolate. Rectifico: me gustaría estar durmiendo.

—Cómo se nota que vienes de la jungla de asfalto. Aquí te acostumbrarás a comer cualquier cosa. Sobre todo, cuando las fuerzas empiecen a desaparecer. Come aunque sea una rebanada y tómate el café. Se te va a enfriar. Unos donuts, dice… — Vicente refunfuña unas palabras ininteligibles mientras intenta recoger el plato de Esther en vano.

PJ obedece y se pone a desayunar. Esther, tras detener la mano de Vicente, se dispone a levantarse para recoger la mesa y ayudar a lavar los vasos y los platos del día anterior.

—¡De ninguna manera, jovencita! Vosotros sois mis invitados y de estas cosas me encargo yo.

—Pero su hospitalidad…

—¡Paparruchas! —corta Vicente a Esther—. ¿En un hotel haces la cama? Pues eso.

La joven deja su plato y su vaso en la destartalada cocina y se va a la habitación donde ha dormido para comenzar a vestirse. Deja la puerta entornada, mientras PJ termina a regañadientes con la tostada y se bebe el café de un trago, provocándole un gesto de asco al encontrarlo demasiado amargo. No ha sido su mejor desayuno, sin lugar a dudas.

Al dirigirse a la habitación, no puede evitar observar a la chica a través del filo entreabierto de la puerta; se queda observando cómo Esther está con el pantalón ya puesto, pero sin la parte de arriba. Su espalda desnuda llama la atención de PJ. Esther busca en su mochila un sujetador. Sin darse la vuelta, se lo pone con delicadeza provocándole al muchacho una media sonrisa. Una gota de sudor le recorre la mejilla hasta acabar en la barbilla. Reacciona y toca con los nudillos en la puerta.

—Pasa si quieres, estoy casi lista —responde Esther a la llamada.

PJ entra mirando al suelo con disimulo, como si no hubiese visto nada. Sus mejillas se enrojecen mientras se rasca la cabeza, nervioso. Esther lo mira de reojo mientras termina de ponerse el jersey y se sienta en la cama para atarse las botas.

PJ solo tiene que calzarse y recoger un poco la cama, por lo que enseguida termina. Permanece unos segundos en silencio recordando el contorno de su espalda. Es como si fuera un recuerdo del pasado. Vuelve a sonreír. Por fin, salen ambos de la habitación para despedirse de Vicente.

El hombre no les quita ojo. Con gesto de preocupación, se atusa la barba descuidada que lleva. Sin decir nada, vuelve a asomarse por una de las ventanas para observar de manera descarada los alrededores. Aún está oscuro, pero sus ojos ya están hechos al entorno y sabe distinguir a la perfección lo que tiene en las proximidades. Tras carraspear profundamente, esboza una forzada sonrisa y dirige una tierna mirada a sus fugaces inquilinos.

—Bueno, chavales: hasta aquí vuestra visita. Os deseo de corazón que tengáis un feliz Camino; cuidado con las ampollas en los pies y, sobre todo, evitad dormir en el bosque. Antes, hacedlo en cualquier rincón del pueblo en el que os encontréis.

—No me seduce dormir mientras se me comen los bichos —añade Esther.

—No es de los bichos de lo que debes preocuparte, chiquilla. Pero no os entretengo más, que al final tanto madrugar no os servirá de nada.

Vicente les da un largo abrazo y les abre la puerta, provocando que Yester lance un pequeño ladrido. El perro esta vez no monta el espectáculo y se limita a mirar a los chicos sin dejar de olfatearlos. Se le nota aún algo inquieto.

—Si por algún casual necesitáis ayuda, marcad este número que os doy apuntado: es el teléfono de la vieja de la posada.

—Dudo que tengamos cobertura ni para llamar a la policía —bromea PJ.

—Tenedlo en cuenta. Y no abandonéis el camino marcado por las flechas amarillas bajo ningún concepto. Ellas os llevarán a Santiago.

—No se preocupe, Vicente. Gracias por todo.

Ambos comienzan a andar, deshaciendo el recorrido que hicieron al llegar a la cabaña. Un ladrido ahogado resuena a lo lejos, lo que provoca que PJ se vuelva alzando el brazo a modo de despedida. Cuando ya no queda nada de sus figuras, Vicente desata a su perro y, tras mirar con detenimiento los alrededores, ambos se meten dentro de la casa. El sonido de los cerrojos retumba en el interior de su viejo y carcomido hogar.

Los muchachos llegan hasta la roca donde vieron a aquella bestia y PJ detiene su marcha. Se agacha y observa las huellas de lo que parecen garras de lobo. Mira hacia el camino que se adentra en el bosque, pero la maleza lo cubre todo. No hay nada que indique que van en la buena dirección.

—PJ, no creo que sea por ahí. Según el mapa, tenemos que atravesar el pueblo hasta llegar a la carretera. Ese camino va en sentido contrario.

—Las huellas siguen frescas, y no solo en el camino. Hay más. Muchas más.

—Nos han dicho varias veces que estos montes son el hogar de esos bichos. Lo que vimos ayer es algo habitual. No le des más vueltas.

Tras las palabras de Esther, PJ se incorpora y continúan la marcha. Enseguida llegan al pueblo y pasan de largo por el albergue de Los Lobos. La puerta permanece abierta de par en par, pero ni rastro de la vieja. Un peregrino con cara de sueño permanece en pie con la mochila puesta y la mirada perdida.

Tras media hora andando, la primera flecha aparece al abandonar la localidad de Villafranca del Bierzo, la cual los mete en plena carretera nacional.

Ambos se muestran contrariados, ya que el asfalto no es la mejor opción para andar, y mucho menos en una vía de doble sentido y con poca visibilidad.

Esther juguetea con su largo bastón de madera mientras es observada por PJ. El día no termina de arrancar y los primeros camiones pasan demasiado cerca de ellos.

—¿De dónde has sacado ese palo?

—Lo compré en Francia nada más arrancar, pero te meten una clavada muy seria. Si quieres uno lo mejor es coger una rama que encuentres y que te haga la misma función. En estos momentos lo que hace es estorbar, pero cuando el camino se empine, créeme que te vendrá bien un apoyo.

—Te haré caso, qué remedio. Por cierto, ¿no hay otra forma de llegar al siguiente pueblo? Están pasando los camiones rozándome el brazo.

—Las flechas indican que es por aquí, PJ. Supongo que más adelante entraremos en el camino de tierra.

Los primeros rayos de sol muestran el intenso verdor que adorna cada lado de la carretera que une Villafranca con Vega de Valcarce. Catorce kilómetros los separan en estos momentos, y a pesar del buen ritmo que llevan, apenas han llegado al primero.

Una de las flechas se desvía a la derecha, separándose por fin de la peligrosa carretera y siguiendo por un margen que muestra lo que parece una pequeña senda. Otra flecha confirma que van bien.

A lo lejos se escuchan unas voces de lo que se supone son otros peregrinos. Cuando Esther y PJ se acercan lo suficiente, observan un pequeño grupo que ultima su puesta en marcha.

Alguno aún trata de plegar su tienda de campaña mientras otros se encuentran ya listos para ponerse en marcha. Uno de ellos levanta la mirada y se percata de la presencia de los chicos. Alza el brazo derecho en señal de saludo.

Ambos se acercan al grupo y, tras detenerse, el chico va hacia ellos sonriente.

—¡Buenos días! Qué madrugadores sois, ¿no? —vocifera el muchacho con un marcado acento gaditano.

—Por desgracia, sí. ¿Habéis acampado aquí? —pregunta Esther.

—Sí, *shiquilla*; en Villafranca estaba todo completo y tratamos de alcanzar el siguiente pueblo, pero se nos hizo de noche. Y aquí nos quedamos. Por cierto, mi nombre es Adán. —El chico extiende la mano para estrecharla con los dos.

—Encantada. Soy Esther, y él PJ.

—¿Como el de los Back Street Boys? —Adán se marca una gracia que no hace más que fruncir el ceño de David.

—Ese era AJ. Me llamo David.

Adán arquea las cejas dándose cuenta de que no le ha hecho gracia su comentario. Los demás compañeros del gaditano se acercan curiosos a los chicos hasta formar tras Adán, que se vuelve y le da una palmada a uno de ellos.

—Os presento: este de la gorra roja se llama Quique. No os preocupéis por él, es así de feo el *hioputa*. Su madre, en vez de darle el pecho, le dio la espalda. —El comentario hace que Quique le suelte una colleja—. Y los demás son Begoña, Rubén y Pepe, que es mi *shorbi*.

—¿Tu qué...? —pregunta Esther con gesto divertido.

—Mi novio, coño. Cómo se nota que tenéis acento finolis de *Madrí*.

—Supongo que sois de Cádiz, ¿verdad? —pregunta PJ.

—De la mismísima Tacita de Plata, *pishita*. ¿Os unís a nosotros?

—Claro... —Esther mira de reojo a PJ, que no parece muy convencido.

—Pues venga, *amonó*. Estoy hasta los *cohones* de dormir al raso. Menudo frío, *killo*.

Tras unos minutos esperando a que Quique termine de plegar su tienda, por fin se ponen en marcha. Se adentran en una especie de bosque plagado de pinos. Siguen un marcado camino de tierra donde cada equis metros aparece una piedra con la famosa flecha marcada con pintura amarilla. Rubén despliega de vez en cuando un plano y lo estudia como si comprendiera algo de lo que pone, para acto seguido guardarlo y rascarse la cabeza sin haber entendido nada.

PJ se siente incómodo ante la presencia del grupo gaditano. Sobre todo porque en su cabeza comenzaba a volar la fantasía de conocer mejor a Esther. Ahora, la poca intimidad que podrían tener se ha esfumado.

La chica se desmarca de sus nuevos acompañantes lo suficiente como para que su conversación pase inadvertida. Apoya la mano en el hombro de PJ y le dedica una sonrisa.

—No te ha hecho ni puta gracia, ¿verdad?

—Creo que vas empezando a conocerme. La verdad es que no, Esther.

—Pero el Camino es conocer a gente, PJ. O si no, mira cómo nos hemos conocido tú y yo. Sé que has venido por una promesa, según me contaste, pero déjate llevar y disfruta de la experiencia.

—Supongo que tienes razón. Me alegro mucho de haberte conocido.

—Y yo también. Pero sí que es verdad que tienes un mote de cantante de *Boy Band.* —Esther le saca la lengua a su amigo.

PJ sonríe. Los dos se miran a los ojos de una manera especial, sin darse cuenta de que se están alejando demasiado de su nuevo grupo.

—¡Parejita! —grita Adán desde la otra punta de la arboleda—. No os quedéis atrás que se os comerán los lobitos del Bierzo.

Los dos vuelven del momentáneo trance para cerciorarse de que se han quedado solos. Cortados por el momento vivido, aceleran el paso para unirse de nuevo a ellos.

—¿Sois novios? —pregunta un indiscreto Adán.

—No, no. Nos hemos conocido ayer en Villafranca —responde muy apurada Esther.

—Uy, disculpad. Me daba la sensación que…

—Pues no lo somos —interrumpe bruscamente PJ.

Adán capta el mensaje ante su desafortunado comentario, y con una sonrisa en los labios, da media vuelta y prosigue el camino.

Desaparecen en la arboleda dejando un silencio solo roto por el trino de varios pájaros que abundan en la zona. A unos cuantos metros, camuflado entre la maleza que adorna el monte leonés, aguarda Él. Expectante. Observándolo todo. Se relame.

Y sus lobos esperan la primera orden.

6

El frío mañanero da paso a una más que agradable temperatura, más propia de la época estival. La ropa comienza a sobrar y los peregrinos no dudan en aligerar su vestimenta ante el incómodo sudor.

Quedan apenas unos kilómetros para alcanzar Vega de Valcarce y, sin embargo, no es el final de la etapa; los más atrevidos, o mejor preparados, continúan hasta el alto de O 'Cebreiro. Pero las piernas de los chicos no dan demasiado de sí.

PJ resopla, harto de masticar unos secos panchitos; en su imaginación parece que acaba de pegarle un lametazo a la duna de un desierto. Trata de hacerlo bajar bebiendo agua, pero las cuatro gotas que salen de su cantimplora de camuflaje pronostican que ha bebido demasiado. Se vuelve hacia Esther.

—Te has bebido el agua de los dos. Tendrás que esperar a que lleguemos —le increpa ella, dejando a PJ con la pregunta en la boca.

—Es que comer frutos secos cuando lo que me apetece es algo fresco, no ayuda.

—Es lo que hay. Los frutos secos te dan energía por mucha sed que te den. Tienes que aprender a dosificar el agua.

PJ se queda con la boca abierta, con ganas de decir lo que piensa, pero se queda en un simple amago. Sabe que su amiga tiene razón.

Un trozo de madera atado a una carcomida estaca les avisa de que el pueblo se encuentra a solo un kilómetro. Todos aplauden mientras Adán suelta un sonoro grito provocando que unos cuantos pájaros abandonen asustados el lugar.

—Discreto no es, el muchacho —protesta PJ por lo bajo.

—No te ha caído muy bien. Pero parece majo, no le juzgues tan rápido.

—No entiendo a la gente que se abre tan rápido a los demás, no estoy acostumbrado. Solo es eso.

—Pues supongo que conmigo debió de pasarte algo parecido. Fui bastante descarada en aquel bar.

—Sí, bueno. Pero no es lo mismo, lo tuyo fue… —PJ frena antes de decir abiertamente lo que está pensando.

—¿Fue qué? ¡Dilo! —insiste Esther, curiosa.

—Esther, es igual. Estoy reventado y muerto de sed.

Ella no quiere insistir para evitar que su amigo se sienta incómodo y decide pasar la mano por su hombro en señal de complicidad. PJ ni la mira, manteniendo la vista fija en el suelo.

A lo lejos, unas cuantas casas comienzan a distinguirse entre los árboles. Están llegando.

Los gaditanos aceleran la marcha ávidos de encontrar un albergue con camas libres. Esther hace lo propio. PJ se queda atrás, con su caminar lento y constante.

—Me adelanto también, David. Te espero allí —grita Esther a unos cuantos metros de PJ.

El chico levanta el brazo dándole el *OK*, y con gesto serio ralentiza aún más la marcha. Necesita estar a solas aunque sea unos minutos, los suficientes para ordenar su confundida cabeza. Observa cómo a lo lejos entran en una casa y se imagina que es el albergue. Si hay camas, al menos dormirán cómodos esta noche. Deja caer su pesada mochila provocando una abundante polvareda. Se sienta junto a ella y resopla. El sudor le recorre la frente y tiene la boca seca. Cierra los ojos y escucha el sonido de las hojas siendo mecidas por el viento.

Un gruñido le eriza la piel.

Ha sido claro y cercano. Ha sonado a su espalda, tras la maleza que se forma a los márgenes del camino. PJ se levanta asustado y se queda atento a cualquier sonido que pueda emitir el entorno. Su corazón le baila dentro del pecho y su respiración agitada apenas lo deja concentrarse.

Otro gruñido. Esta vez parece más lejano, como si lo que lo emitiera se alejara del lugar.

PJ recoge la mochila y echa a correr como buenamente puede, dado el peso que lleva. El miedo vence al cansancio que arrastra. Cuando logra alcanzar el pueblo, apenas repara en lo que tiene a su alrededor. Lo único que trata es de ponerse a salvo.

Cuando quiere volver a la realidad se encuentra en medio de una calle, rodeado por varias casas de piedra negra y tejados pronunciados. A su derecha distingue una especie de hórreo que forma parte de la estructura de una vivienda, y justo enfrente, otra edificación más moderna donde distingue en su entrada a uno de los chicos gaditanos tirado en el suelo junto a varias mochilas. Se vuelve tratando de fijarse con más detenimiento en el camino que acaba de recorrer, pero no ve más que una abundante vegetación.

Comienza a caminar hacia el lugar donde ha visto a su compañero, logrando distinguir el letrero que está fijado a la fachada: «Albergue Vega de Valcarce».

PJ se toma un respiro y trata de calmarse. Su corazón aún palpita nervioso, pero al distinguir a Esther dentro del albergue, apoyada en el mostrador, logra relajarse un poco. Se acerca a ella.

—No sabes lo que me alegra verte.

Esther se vuelve hacia él con expresión de no tener ni idea de lo que está hablando, pero no le contesta. Enseguida aparece una señora de unos cincuenta años, bastante rechoncha y con un flequillo cardado más propio de los años ochenta, los labios pintados de un morado cantoso y maquillada como una puerta.

Trae unos papeles en la mano y los extiende a Esther, la cual firma en todas las hojas y, acto seguido, saca la credencial para que la señora la selle.

—PJ, dame tu credencial.

—¿Que te dé qué...?

—La credencial. Se supone que en cada pueblo tienen que ponernos un sello o de lo contrario no te darán el diploma en Santiago. ¿Te lo pusieron en Villafranca?

—No. Se me olvidó. —PJ la saca de su mochila y se la facilita a la señora.

—Pues sí que empiezas bien el Camino.

PJ deja caer su mochila al suelo de puro cansancio. Una vez estampado el sello de la etapa, la susodicha casera le ofrece una llave a Esther atada a un exagerado trozo de madera. En él vienen el nombre del albergue y la habitación.

—Si tenéis alguna duda o queréis saber los horarios de la casa, me llamo Lola. Preguntad por mí si no me veis o llamadme a mi móvil. El número lo tenéis en los papeles. —Lola señala la funda de cuero que lleva colgada alrededor del cuello, donde reposa su teléfono.

Se mete dentro de la casa dejando a los dos chicos solos. En ese momento, hace acto de presencia Adán que, junto a su novio, parecen no andar demasiado contentos.

—Menuda habitación nos ha tocado, *pisha*. Tiene un ventanuco que da a un puñetero corral —protesta el gaditano—. Huele a caquita de gallina por todas partes.

—Nosotros no tenemos ni idea de cómo será la nuestra. Me conformo con que tenga una cama, sin bichos, a ser posible —suplica Esther mientras recoge su mochila.

—Esther, ¿puedo hablar contigo un momento? —pregunta PJ, apartando a la chica de la mirada indiscreta de Adán.

La muchacha sale del albergue y, tras caminar unos metros, ambos se detienen.

—Cuando os habéis adelantado al entrar al pueblo, he sentido algo muy extraño en el camino. Ha sido como si algún animal me estuviera acechando.

—Pero ¿has visto algo?

—No, pero lo pude escuchar. Era un gruñido, como de un perro o de algún animal más grande. Me vino a la mente la imagen de aquel lobo en la cabaña de Vicente.

—PJ, estamos en El Bierzo, aquí hay muchos lobos. De todos modos, creo que tienes que descansar: no tienes buena cara. La habitación la compartimos; ya que no quedaban demasiadas disponibles, y los gaditanos las han copado todas. Espero que no te importe.

—No, claro que no. Y sí, voy a echarme un rato, si no te importa. ¿Hay ducha?

—Sí, pero el agua caliente está muy cotizada. Yo no tardaría mucho en ponerme a remojo.

—Gracias por todo, Esther. He tenido suerte en cruzarme contigo en aquella tasca.

PJ le sonríe y, tras coger la llave con el número de la habitación, se mete en la casa para desaparecer tras el pasillo. La chica se queda absorta en su mundo, repasando las últimas palabras que acaba de decir PJ.

De pronto, alguien le pone la mano en el hombro. Se vuelve sobresaltada, comprobando que se trata de otro peregrino, al menos en apariencia.

Frente a ella, una gran mole de unos ciento cincuenta kilos carraspea profundamente. Moreno de piel y con el pelo rapado, luce una tupida barba negra y descuidada. Su atuendo es más propio de un ermitaño que de una persona que esté haciendo el Camino de Santiago. No lleva mochila ni camiseta, la cual lleva anudada a la cintura. Lo acompaña un enorme perro.

—Perdone, no quise asustarla. Mi nombre es Toribio, y estoy buscando alojamiento en este pueblo.

—Hola, encantada. Soy Esther. Mira, si te das la vuelta verás un albergue, pero creo que ya no queda nada libre. Es posible que tengas alguna casa rural en el pueblo, pero no será gratis para los peregrinos. Porque lo eres, ¿no? —Le guiña un ojo.

—Oh, sí. Claro que sí. Bueno, no exactamente. Vengo andando desde muy lejos junto a mi perrete. En realidad, soy de la zona y dedico los meses de verano a ofrecerme de guía. Bueno, probaré suerte en este pueblo, y si no, al monte. ¡Qué remedio!

—¿Y siendo de la zona buscas alojamiento?

—Sí. Digamos que soy de aquí, pero no tengo casa fija. Duermo donde me dejan, como donde me entra el hambre y camino por donde nadie sabe que puede hacerse. Si queréis, puedo haceros de guía mientras estéis en El Bierzo; conozco lugares que el Camino no te permite ver y que son una auténtica maravilla.

Esther echa un vistazo a su alrededor. Vuelve a sonreír y mira a los ojos del hombre. No pasa inadvertido para Toribio.

—No te dejes engañar por las apariencias. Aquí donde me ves, soy muy ágil y tengo mucha resistencia.

—Te lo agradezco mucho, pero no creo que podamos pagar tu tarifa.

—Oh, es eso. —Toribio ríe desahogadamente mientras se sujeta la ancha barriga—. Chiquilla, con que me deis un bocadillo al día voy más que apañado, en serio. Habla con tu compañero y mañana me decís. Estaré por en el pueblo.

—¿Cómo sabes que voy con un chico?

—Te vi hablar con él hace apenas unos minutos. Lo dicho, a las siete de la mañana estaré en la plaza dispuesto para la marcha. Con o sin vosotros. —Toribio expone una sonrisa sucia y descuidada.

—Pues muchas gracias, Toribio. Hablaré con él.

—Puedes llamarme Toro. Sí, así me llaman los míos.

Tras estas palabras, Toro silba a su perro y se alejan por una de las calles de Vega de Valcarce, obviando la posibilidad de encontrar una habitación.

Antes de desparecer del todo, se detiene para volverse hacia Esther y dedicarle una extraña mirada. Le sonríe para después torcer el gesto. La muchacha le devuelve la sonrisa y espera a que abandone el lugar. Observa con detenimiento la maleza que asoma a los márgenes.

Decide posponer su paseo para entrar en el albergue y descansar un poco antes de comer. Al hacerlo, no es consciente de que varios lobos aguardan expectantes a su amo resguardados entre el frondoso bosque que rodea el pueblo.

Un amo que está muy cerca.

7

El simulacro de ensalada desaparece con extrema lentitud de los platos de los gaditanos, que hablan más que comen lo cual no hace otra cosa más que molestar sobremanera a PJ. Revuelve las hojas de lechuga con su tenedor de plástico sin dejar de mirar a Adán, que, como no puede ser de otra manera, lleva la voz cantante de la conversación.

Esther, siempre al tanto de todo, aprieta por debajo de la mesa de madera la rodilla de David para tranquilizarlo, pero no hay manera.

—Esto no hay quien se lo coma, coño —susurra por lo bajo PJ dejando de mala manera el cubierto en el plato. Los demás no se percatan de ello.

—¿Qué quieres por la miseria que hemos pagado? ¿Un arroz con bogavante? No estás teniendo un buen inicio del Camino, ¿eh? Mira, si quieres, luego hablo con esta gente y mañana salimos solos. Tú y yo. ¿Te parece?

PJ sonríe dedicando una tierna mirada a Esther, mientras retoma la ensalada sabiendo que las fuerzas mandan sobre sus preferencias culinarias. Mastica rápido y traga con dificultad.

—Me parece bien, y me tranquiliza un poco.

—Nos lo pasaremos bien, ya lo verás.

—Cuando mi amigo me falló a última hora, creí que venir solo sería una locura. Después pensé en la promesa que le había hecho a mi padre y me llené de fuerza. En el trayecto hasta León estaba decidido a caminar solo y lo tenía asumido. Por eso, la compañía de estos tipos, la verdad, no es que sea muy atractiva para mí.

—Oye, pues si quieres seguir solo, no tienes más que decírmelo. —La mueca de Esther cambia por completo y su rostro se ensombrece.

—Sabes que no lo digo por ti. No soy un antisocial, aunque lo parezca.

Ella sonríe. En el interior del local, decenas de peregrinos sudorosos departen con otros compañeros sobre los devenires del Camino. Hablan de las anécdotas y las diversas opiniones que una experiencia como esta les está aportando. El barullo es significativo y apenas deja unos minutos de conversación agradable. El olor tampoco es que sea el mejor. No todos prefieren ducharse antes que comer.

Lola, la dueña del albergue, se pasea ágil por las mesas a pesar de su oronda figura. Trata de servir sin demorarse demasiado: sabe que hay otros caminantes esperando turno. El sitio no es demasiado grande, pero está muy bien ambientado: cuadros de mapas de la zona, detalles que hacen referencia al Camino de Santiago y la cabeza de un jabalí de mirada desafiante disecada tras la barra.

Tras terminarse el último trozo de tomate, PJ recoge sus cosas y se levanta en dirección a las habitaciones sin siquiera dedicar una mirada a los gaditanos. Esta vez, el gesto no pasa desapercibido para ellos, que callan al unísono ante semejante desplante. Esther también se levanta y se acerca a Adán.

—No le hagáis mucho caso. Está cansado y le duele un poco la cabeza —trata de justificarle.

—¡No te preocupes, *muhé*! Nada más verlo ayer me percaté de que no éramos santo de su devoción. —Adán no se anda por las ramas.

—¡No, no! No es eso, en serio. Ha venido por una promesa, y no tiene muchas ganas de juerga ni de compañía. No se lo tengáis en cuenta.

—Pero un poco *saborío* sí que es el *pishita*.

—Es buena gente. Mañana saldremos antes que vosotros y de esa manera creo que se distraerá un poco. Le vendrá bien que andemos solos, y más siendo una etapa tan dura. Si queréis, nos veremos de nuevo en el alto de O 'Cebreiro.

—Está bien, niña. Pasad buena noche si no nos vemos.

Esther le da una palmada en la espalda a Adán a modo de despedida, y se dirige a la habitación para echar una cabezada.

Tras tocar de manera suave con los nudillos en la vieja madera, abre con cuidado sin esperar la respuesta de su compañero. Nada más pasar, se encuentra con PJ tumbado en la cama y con el teléfono en la mano. Su gesto apenas ha cambiado. Levanta los ojos del móvil para dedicarle una mirada a su amiga. Sonríe.

—No hay cobertura, para variar. Si nos pasa algo en pleno bosque, la hemos cagado pero bien —protesta PJ dejando el teléfono en la mesilla.

—¡Eres un poco quejica! Desde que te conocí no has hecho otra cosa. ¡Relájate de una vez, chaval!

PJ guarda silencio y se levanta de la cama para dirigirse a su mochila. Extrae el saco de dormir y baja la cremallera de mala gana, extendiéndolo sobre el frío suelo de terrazo que adorna el albergue. Esther rodea la cama y se agacha junto a él.

—Espera, PJ, ¿qué estás haciendo?

—¿Tú qué crees? Ya son las seis de la tarde y está anocheciendo, quiero acostarme pronto.

—¿En el suelo? ¿Y para qué cojones hemos cogido habitación? —Esther no entiende su actitud.

—Solo tiene una cama, y prefiero que seas tú la que duerma en ella. Estaré bien aquí.

—Y piensas dormir a las seis de la tarde. Como los abuelos.

—Estoy reventado, Esther. Madrugué mucho en Madrid y esta noche apenas he descansado en la cabaña de Vicente.

Esther suelta una sonora carcajada que retumba en las vacías paredes de la habitación, provocando una mirada confundida de PJ. Cuando logra contenerse, lo mira con gesto divertido y se sienta en la cama para desabrocharse las botas, estirando las piernas todo lo que puede.

—Anda, sube y déjate de tonterías. —Golpea con el brazo el otro lado de la cama.

—¿No te molesta?

—No creo que tenga que responderte a eso. Además, en casa de Vicente dormimos juntos.

—Bueno, no exactamente. Las camas estaban separadas —puntualiza PJ.

—¿Vas a subir o no? —Esther aprovecha para desabrocharse el cinturón multiusos y el botón del pantalón. Resopla de gusto.

PJ se sienta junto a ella y se quita el calzado. Ambos se tumban boca arriba y permanecen en un silencio tenso, roto por las voces que aún se escuchan en el comedor. Adán es el dueño de una de ellas, sin duda. Esther se vuelve hacia PJ apoyando la mano sobre su cabeza y abre la boca, pero antes de hablar prefiere pensar bien lo que quiere decir. Carraspea con poco disimulo.

—He conocido a un tipo súper extraño ahí fuera, mientras estabais dentro del albergue. Me ha dicho que se dedicaba en verano a hacer de guía durante estas etapas. Dice que es de la zona. No nos cobraría, y me ha dicho que nos llevará a sitios donde el Camino tradicional no llega.

PJ se sienta en la cama y mira a Esther con gesto de extrañeza.

—¿Y se ha presentado así, sin más?

—Supongo que estará haciéndolo con todos, hasta que alguien le haga caso. Solo pide comida a cambio. A mí me ha dado penilla, el hombre. —Esther pone cara de no haber roto un plato en su vida.

—¿Te fías de él?

—Sí, me ha transmitido buen rollo. Mañana saldremos solos, sin los de Cádiz. Si quieres, le decimos al tipo este que nos lleve hasta O 'Cebreiro, pero por rutas alternativas. Seguro que es una maravilla, y veremos paisajes de escándalo para hacer fotos.

—Yo, con tal de librarme de los chirigoteros, lo que sea.

Ella ríe ante la ocurrencia de PJ y sin darse cuenta le aparta el pelo de la frente, quedándose ambos mirándose a los ojos y provocando un momento incómodo.

—Esther, ¿a qué te dedicas? —PJ trata de reaccionar al gesto de su compañera.

—Se supone que soy fotógrafa, pero no siempre puedo dedicarme a mi profesión. En estos momentos, por ejemplo, colaboro con una revista dedicada a la naturaleza. Me pagan por reportaje.

—¿Estás aquí por eso?

—No, qué va. Pero aprovecho la ausencia de trabajo para desfogarme un poco y, de paso, retratar lo que es el Camino de Santiago. Oye, si me salen buenas fotos, quizá pueda colocarlas en la revista —ríe pensativa.

—Ya me parecía a mí que tenías una buena cámara.

—Mi dinero me ha costado, chaval. Pero no hablemos más de mí: tú tampoco me has contado nada, salvo lo de la promesa que le hiciste a tu padre.

—Me dedico a todo y a nada a la vez. Terminé la carrera de Periodismo y apenas he trabajado dos meses seguidos, y nunca de lo mío. Camarero, reponedor, y poco más.

—Bueno, eso me suena. ¿Has dejado a alguien especial esperándote a la vuelta? —Esther no se anda por las ramas.

—No. Bueno, salvo mi amigo Cifu, que se quedó con las ganas de venir. Vaya preguntita, ¿eh? —Las mejillas del muchacho se tiñen de rojo carmesí.

En ese momento, la luz se apaga. Por el murmullo general que se escucha en el exterior, es evidente que no solo ha sido allí dentro. PJ se levanta y pulsa el interruptor, pero no responde. Se escuchan pasos apresurados por el pasillo y el vozarrón de la casera protestando ante el perjuicio que puede ocasionar para sus huéspedes.

Esther se calza. Quiere saber qué ha pasado y, de paso, si puede ayudar a restablecer la corriente. Nada más salir, comprueba que la oscuridad se ha apoderado del lugar. La tenue luz de una vela que porta la casera ilumina la estancia, impregnándola de un ambiente fantasmagórico.

Fuera es de noche y el frío comienza a ser intenso. Esther vuelve a la habitación a por su linterna, guiñándole un ojo a PJ, que la mira con cara de circunstancias.

Vuelve a salir y esta vez abandona el albergue. Trata de localizar a la dueña guiándose por su voz. Cuando por fin da con ella, la encuentra dentro de un cobertizo lleno de polvo y telas de araña.

—¡Coño, qué susto mes has dado! —protesta Lola, viéndose sorprendida por la presencia de Esther.

—Disculpe que la haya asustado. Estoy hospedada aquí, ¿puedo ayudarla?

—Si sabes algo de electricidad, sí. Lleva toda la semana fallando, esta mierda de instalación. Y tiene que ser cuando más peregrinos tengo. —Lola resopla impotente.

—Pues de electricidad, poco. Pero soy mañosa y me defiendo bien. Sujéteme la linterna.

Esther comienza a trastear en los fusibles, comprobando que el diferencial está bajado. Su gesto se tuerce. Mira a Lola, que enfoca con la luz esperando a que le dé una solución.

—¿Qué pasa? ¿Todo bien?

—El diferencial está bajado. Es extraño, ya que los demás también lo están.

—¿Y qué significa eso?

—Que no ha saltado por un cortocircuito o una subida de tensión. Alguien ha tenido que desconectarlo.

El gesto de Lola se transforma en una mueca de asombro. Se vuelve asustada hacia la entrada del cobertizo. Comprueba con inquietud que el candado que cierra la puerta de madera no está.

—¡Han entrado! Al pasar no me había dado cuenta de que no estaba el candado.

—¿Y a quién le interesa hacer esto? —pregunta confundida Esther.

—En el pueblo hay varios albergues y la competencia es dura. No te extrañe que me hayan querido sabotear, niña. Voy a cerrar de nuevo, y si vuelve a ocurrir llamaré a la Guardia Civil. Aguárdame aquí un momento, bonita.

Lola sale malhumorada del cobertizo seguida por Esther, que se queda esperando, linterna en mano, en la entrada. El frío penetra intenso por la abertura de la puerta. Esther se frota el brazo para entrar en calor. Al cabo de unos minutos aparece la doña con un enorme candado y una cadena de grosor considerable. Tras dudar sobre cómo colocarlo de la mejor manera posible, logra dejarlo bien fijado.

—Apañado. Al que se atreva a volver a tocar aquí le corto la mano. O los huevos. Buenas noches, maja, y gracias por tu ayuda. —Lola regresa al albergue, que vuelve a llenarse de luz artificial.

Esther se queda fuera pensando en lo extraño de todo esto. Hace fresco y ha salido en manga corta. Sola, dirige su mirada hacia las afueras del pueblo, donde la luz apenas llega. Es entonces cuando se percata de ello.

Varios destellos se distinguen entre la maleza. Se mueven con lentitud como si avanzaran hacia ella. Conecta de nuevo la linterna y dirige el haz hacia el bosque.

Esther no puede evitar sorprenderse: justo enfrente, pero a unas decenas de metros, un par de lobos le enseñan los dientes, desafiantes. Sus ojos brillan al recibir la luz.

La chica suelta la linterna y corre hacia la casa para cerrar de un sonoro portazo. Los presentes callan de golpe sus conversaciones para dirigir sus miradas hacia ella. Esther permanece apoyada en el portón, tratando de recuperar el aliento. Con la mano derecha se sujeta el pecho. Su respiración aún es agitada. Sin mediar palabra, se va a su habitación, donde PJ la espera.

Cierra tras de sí y comienza a pasear apresuradamente. Se pasa la mano por la cara de manera inconsciente. Su nerviosismo es tan evidente que PJ se levanta de la cama y la agarra por los hombros.

—Eh, ¿se puede saber qué te pasa? Vaya cara traes. Ni que hubieras visto a un fantasma.

—Un fantasma no, pero un lobo sí. Bueno, dos, para ser más exactos.

PJ se queda fijo en los ojos de Esther, que respira de manera muy agitada. La acompaña a la cama y se sientan juntos. De nuevo, el silencio es el protagonista.

—¿Estás segura de lo que estás diciendo? De ser verdad, creo que tendremos que llamar al SEPRONA, porque ya van dos veces que los vemos. Esto ya me parece demasiado peligroso.

—Estoy segura de lo que he visto. Me acechaban. Estaban ahí, gruñendo y mostrando los colmillos —asegura sin poder apartar esa imagen de su mente.

La luz vuelve a apagarse provocando que se abrace por instinto a PJ. Está aterrada y lo aprieta con mucha fuerza. PJ chistea por lo bajo como si de una niña pequeña se tratara, pero no logra que deje de temblar.

—Esther, tranquilízate. Dame tu linterna y deja que salga yo esta vez.

—Se me cayó al ver a los lobos. Debe de estar ahí fuera.

—Cogeré la mía, no te preocupes. Espérame aquí y ni se te ocurra salir.

—¡No me dejes sola! David, ¡ahí fuera hay lobos! No salgas, por favor.

PJ rebusca en su mochila y, al abrir la puerta, le dedica una sonrisa a Esther a la vez que enciende su linterna.

—No pasará nada. No saldré solo.

El chico abandona la habitación iluminando la estancia. En ese momento, observa que en el salón solo quedan un par de tipos, Lola y Adán, que también ha salido preocupado con tanto apagón.

PJ lo saluda con la mano y se dirige a la casera, que está tratando de marcar en el teléfono público que tiene al lado del mostrador. Refunfuña por lo bajo.

—Hola. Perdone, ¿qué está pasando? —pregunta PJ sin querer molestar.

—Pues que algún malnacido está queriendo aguarnos la fiesta, eso es todo, hijo. ¡Puto teléfono! —Lola aporrea con sus gordos dedos los botones del aparato.

—Déjeme a mí. —PJ coge el auricular y comprueba que no hay línea.

—¿Qué pasa, chico? —El gesto de Lola se tuerce por momentos.

—Que no da línea. ¿Dónde tiene las conexiones del teléfono?

—En el cobertizo que tengo fuera, junto con la luz. Acompañadme, por favor, que ya está empezando a mosquearme todo esto.

Lola coge un pequeño candelabro con dos velas, y sale por el viejo portón de madera que da a la calle. Adán y PJ van tras ella e iluminan la entrada al pequeño chamizo al que se ha referido la casera. A Lola se le transforma el rostro en una mueca de espanto:

el candado y la gruesa cadena están reventados en el suelo, y la puerta del cobertizo medio arrancada de lo que ha podido ser una fuerte patada. Al iluminar el interior, comprueban asombrados que la caja de los fusibles está arrancada de la pared y los cables cortados. Los del teléfono han corrido la misma suerte.

—¡Dios mío! —exclama Lola, rebuscando su móvil en la bata.

—No hay cobertura, señora. Desde que llegamos a Vega desapareció por arte de magia —protesta Adán señalando el suyo, que permanece muerto desde entonces.

—A ver: entrad en la casa y no salgáis de las habitaciones hasta que amanezca y podamos tener algo de luz. Yo ahora me acercaré al cuartelillo de los municipales para que vengan y vean la que me han liado aquí. Os pido disculpas, esto no me había pasado nunca. —Lola se lamenta ante las consecuencias que va a ocasionarle este sabotaje.

—No debería caminar sola en la noche. ¿A qué distancia está ese cuartelillo? —pregunta PJ.

—No lejos, muchacho. Hacedme caso y meteos dentro.

—Mi compañera ha visto a varios lobos merodear por aquí.

—Esos animales no bajan al pueblo. Habrán sido los perros del Paciano, un viejo que vive junto al bar. Mira que le tengo dicho que los tenga atados.

—Pues me deja más tranquilo. Tenga cuidado.

PJ y Adán salen del cobertizo para dirigirse a la entrada del albergue. Antes de entrar, PJ recuerda las palabras de Esther y enfoca con su linterna los alrededores de la casa. Todo parece tranquilo y no hay rastro de lobos ni de ningún otro animal. Ambos entran dejando a Lola sola, que desaparece entre las sombras de la noche.

Se despide del gaditano. Al llegar a la habitación, ve que Esther está más tranquila pero deseosa de saber qué está pasando. PJ guarda su linterna en la mochila. Se sienta en la cama y se quita las botas.

—¿No has visto la mía? —pregunta la chica.

—Allí no había nada. Ni lobos, ni tu linterna. Lo que sí hay es algún hijo de puta que ha destrozado toda la instalación del albergue. Si no fuera ya de noche, te juro que nos largábamos de aquí. Por cierto, la casera ha dicho que lo que has visto son los perros de un vecino.

—Ya estamos. Sé muy bien lo que he visto. Prefiero olvidarlo.

—Sí, será lo mejor.

—Bueno, al menos la habitación tiene un buen cerrojo. — Esther se levanta y lo echa. Se vuelve hacia PJ y le sonríe—. ¿Te molestaría que te pidiese un abrazo? Creo que es lo que más necesito en estos momentos.

—Los abrazos no se piden. Se dan.

Ambos se abrazan, y Esther apoya su cabeza sobre el hombro de PJ; respira más tranquila, notando el corazón de su compañero acelerándose por momentos. Sonríe de una manera extraña.

Esther da el primer paso y se separa un poco de PJ, para después acercarse lo suficiente como para juntar ambas frentes. La respiración de PJ comienza a agitarse de manera incontrolada. Su aliento choca contra el de ella. Nota a la perfección el calor de su boca y el temblor de la mano de Esther, que acaricia su mejilla con suavidad.

Sus labios se juntan. Ambos se besan de manera pausada, con delicadeza. PJ percibe los labios de Esther como si fuesen nubes de algodón dulce. Se detiene por un instante para mirarla a los ojos, pero la pasión pide paso y la dulzura se transforma en arrebato. Se abrazan con fuerza mientras las manos de PJ comienzan a recorrer la espalda de Esther hasta acabar en su trasero.

Sus bocas vuelven a encontrarse de manera lujuriosa. Esther muerde sin hacer fuerza el labio inferior de PJ, provocando aún más al chico. Ambos comienzan a desnudarse sin importarles lo más mínimo el ruido que puedan estar provocando. Cuando ya no hay nada que esconder, ambos cuerpos tiemblan, uno encima del otro, para dar paso al desenfreno.

Las manos de PJ comienzan a perderse entre las suaves curvas de la chica, provocando que ella pierda el control por completo.

Mientras tanto, Lola deambula por un camino de tierra que llega hasta la otra parte del pueblo donde se encuentran las dependencias de la policía. El pequeño farolillo apenas alumbra lo que es una noche cerrada y sin luna visible, pero a la fortachona lugareña no le importa; ha hecho el mismo camino cientos de veces y podría hacerlo con los ojos vendados.

Cuando apenas le queda medio kilómetro para llegar, un gruñido alerta a la mujer, que detiene su paseo en seco. Se queda en silencio tratando de comprobar si no ha sido fruto de su imaginación, pero ya no se escucha nada salvo algún grillo aislado que no deja su incansable grillar. Retoma sus pasos pero vuelve a suceder: el gruñido ha sido alto y claro, y a muy pocos metros de ella. Lola traga saliva y extiende el brazo tratando de iluminar los márgenes del camino, pero no logra distinguir nada.

Gira sobre sí misma varias veces, en vano. Escucha otro ruido: esta vez no se trata de un animal, sino de la carcajada ahogada de una persona. Lola se estremece.

—¿Quién está ahí? Si has sido tú quien me ha destrozado la instalación, que sepas que ya está denunciado.

La respuesta es el silencio. Lola comienza a caminar más deprisa, pero cuando quiere darse cuenta, un hirsuto lobo permanece entorpeciendo el estrecho camino, quieto y con aspecto desafiante.

—¡Oh, Señor! —Lola se lleva la mano a la boca de puro terror.

Otro sale de entre las sombras del bosque para situarse junto al primer animal. Ambos permanecen quietos, como si estuviesen esperando la orden de alguien. La mujer tiembla como un chiquillo esperando lo peor. De pronto, uno de los animales vuelve al bosque y se escuchan unos susurros.

Sin mediar palabra, se abalanzan sobre ella con una fuerza descomunal. Lola chilla como un gorrino que está a punto de entrar en el matadero. Sus lamentos son en vano.

La primera dentellada le arranca media cara mientras el otro animal introduce su hocico dentro del orondo vientre de la mujer. Sus gritos se entremezclan con los gorgoteos que le provoca la sangre escapando de la boca. A los pocos segundos, su cuerpo inerte y mutilado es arrastrado hacia el bosque para dar buena cuenta de los restos.

Y Toro ríe ante tan suculento espectáculo. A carcajadas.

8

El sonido de una emisora de radio despierta a Esther. La luz entra por la ventana escapándose por las rendijas de la rústica persiana, y deja entrever la sencilla habitación. La ropa descansa sobre cualquier sitio, dejando evidencias de lo acontecido por la noche. Mira su reloj y enseguida comprende que han dormido más de la cuenta.

Esther se gira para observar a PJ: duerme como una marmota, con la boca abierta y medio cuerpo por fuera de las mantas. La chica lo tapa del todo y le acaricia el pelo con suavidad para no despertarlo.

Está desnuda y siente algo de frío. Se levanta con cuidado y se pone a buscar su ropa entre tanto desorden. Cuando por fin la reúne toda, guarda la muda sucia en una bolsa de plástico destinada a tal fin y busca entre sus cosas algo limpio. Tuerce el gesto cuando comprueba que en la siguiente etapa no le quedará más remedio que lavar la ropa en algún sitio.

El sonido de una radio que parece ser de un taxi o de la policía se escucha más cerca y con claridad. Unas voces al otro lado de la puerta hacen que Esther recoja el jersey de PJ y se lo ponga apresuradamente. Unos nudillos golpean la madera.

—Un momento —contesta mientras termina de ponerse unos pantalones, también de PJ.

Abre la puerta un filo y asoma la cara para distinguir a una persona uniformada de Guardia Civil, acompañada por una mujer.

—Disculpe que la moleste, señorita. Necesitamos hacerle algunas preguntas. ¿Está usted sola?

—No, me acompaña mi… bueno, mi compañero. ¿Quieren hablar con él también?

—Sí, por favor. Si no les importa, les espero en el salón.

Esther cierra de nuevo y se sienta junto a PJ, que parece que nada le afecta el sueño. Le da un beso en la mejilla y se acerca a su oído.

—David, tienes que despertarte. Quieren hablar con nosotros.

PJ ni se inmuta, pero consigue abrir a duras penas un ojo. Al distinguir el rostro de Esther, esboza una ligera sonrisa.

—Buenos días, marmota. Necesito que te pongas algo de ropa rápido y que vengas conmigo. Está la Guardia Civil en el albergue y quieren hablar con nosotros.

PJ reacciona por fin y se sienta de golpe en la cama, desarropándose. Se frota los ojos y enseguida se percata de que está completamente desnudo frente a Esther. Se tapa con la manta, ruborizado. La chica sonríe, divertida.

—Demasiado tarde para que te entre la vergüenza, ¿no crees? —Le guiña un ojo mientras David sonríe nervioso.

—Te queda muy bien mi jersey, pero me lo tendrás que dar.

Una vez están listos, abandonan la habitación y nada más entrar al salón se encuentran con varios agentes hablando con unos cuantos huéspedes del albergue.

Uno de ellos, el mismo que habló con Esther, se acerca a los chicos y les señala una mesa, invitándolos a sentarse. Ambos obedecen.

—Les pido disculpas por despertarlos. Supongo que estarán haciendo el Camino de Santiago y que estarán algo cansados —comenta el Guardia Civil.

—No se preocupe, ya estábamos despiertos. ¿Qué sucede?

El agente saca una fotografía del bolsillo de su chaqueta y se la muestra a los chicos. Esther la coge y esboza un gesto de sorpresa.

—¿La conocen?

—Claro que la conocemos. Es la mujer que nos atendió ayer al llegar a la casa. Creo que es la dueña. ¿Le ha pasado algo? —pregunta la joven, muy confundida.

—Anoche salió del albergue para ir a la otra parte del pueblo y desde entonces no ha regresado. No se sabe nada de ella.

—La última vez que la vi fue cuando se fue la luz y salimos para ver qué pasaba. La entrada al cobertizo estaba forzada y toda la instalación arrancada. Recuerdo que dijo que iba a buscar a la policía. Después, volví a mi habitación, y hasta hoy.

—PJ trata de recordar cada detalle.

—Ya hemos visto lo del cobertizo. Estamos ahora mismo tratando de averiguar quién hizo semejante destrozo, pero lo que nos ha extrañado son las huellas.

—¿Huellas? ¿De quién?

—Más bien de qué. Son de un animal, un perro grande o algo parecido.

En ese momento, la imagen de los lobos vuelve a la cabeza de Esther. Titubea un instante pero se decide a hablar.

—Ya siendo de noche, pero antes de que pasase lo del cobertizo, vi un par de lobos merodeando por la zona y me extrañó mucho. Es posible que se hayan acercado hasta aquí. La dueña del albergue insistió en que eran los perros de un vecino, pero yo estoy segura de lo que vi.

—¿Lobos? ¿Está usted segura, señorita?

—Sé distinguir un lobo de un perro. Y aquello eran lobos. Y bien hermosos.

—Esos bichos no suelen bajar a los pueblos a menos que estén hambrientos. Suelen atacar al ganado, gallinas y demás animales pequeños. Es raro, la verdad.

—Pues en el monte no les debe ir muy bien, porque durante el Camino ya los hemos visto un par de veces —añade PJ.

—Bueno, pues eso era todo. Les diremos a nuestros compañeros del SEPRONA lo de los lobos; suelen mantener un control de la población del Bierzo y sabrán cómo actuar en este caso. Muchas gracias por dedicarme unos minutos, y que tengan un buen Camino. —El agente les estrecha la mano y se levanta para juntarse con otros compañeros que están junto a la barra.

Esther espera a que los guardias salgan del albergue. Respira hondo y trata de calmarse, pero algo dentro de ella no la deja.

Es como si un pilotito rojo estuviera conectado en su interior y tratara de avisarla de algo. Su instinto pocas veces le ha fallado.

Mira a PJ, que también parece absorto en sus pensamientos, y le coge de la mano. Este se sobresalta pero la aprieta con suavidad.

—Creo que tendríamos que hablar. ¿No crees? —PJ rompe el hielo.

—Sí, desde luego. Pero primero pongámonos en marcha, que se nos ha ido la hora demasiado. Vete olvidándote de encontrar alojamiento en el siguiente destino.

Entran en la habitación y terminan de recoger sus cosas. Antes de salir, Esther se asoma al cuarto donde estaban alojados Adán y Pepe, pero está vacío. Se han marchado sin ellos.

Esther resopla por lo bajo. A pesar de haberlo acordado el día anterior, le molesta sobremanera que no hayan hecho el amago de despedirse.

Antes de salir de la casa echa un vistazo al salón: apenas queda nadie, tan solo un hombre que permanece tras la barra y un viejo que juguetea con un palillo entre los dientes. Con descaro, le pega un buen repaso al cuerpo de la chica y murmura algo que solo el cuello de su camisa es capaz de entender. Esther no disimula su cara de asco.

Al abrir la puerta, el bofetón de aire fresco penetra en cada poro de su piel. El verdor del bosque que rodea el pueblo les llena las pupilas y el olor a naturaleza anima a los chicos a comenzar a andar. Varios peregrinos avanzan por delante de ellos, animosos y con buen paso.

Cuando dejan atrás la casa y cogen el camino de tierra marcado por las flechas amarillas, ven a lo lejos a los gaditanos. Están parados en uno de los márgenes junto a un hombre. Parece que charlan distendidamente, y el tipo que los acompaña no deja de gesticular de manera exagerada.

Cuando les quedan un par de metros para alcanzarlos, Adán se vuelve y deja la charla para aproximarse a Esther y a PJ. Su gesto no es de alegría, precisamente.

—¡Chicos! Creíamos que ya os habíais marchado. ¿Os habéis enterado?

—¿Lo de la mujer del albergue? Si te refieres a eso, sí. Hemos estado hablando con la Guardia Civil —responde Esther con cara de pocos amigos.

—Es extraño. Este sitio me da repelús; menos mal que lo dejaremos atrás. Además, ahora tenemos compañía. —Adán señala al hombre que los acompaña.

Esa figura es difícil de olvidar: Esther reconoce el enorme cuerpo de Toro. El hombre habla con Quique y Begoña mientras no deja de acariciar a su enorme perro. En un momento de la conversación, levanta la cabeza y le sonríe a la chica. Esther le devuelve el gesto.

—El pájaro este nos ha ofrecido sus servicios para mostrarnos una alternativa para subir al alto de O 'Cebreiro. Dice que es espectacular —añade Adán.

—Este tipo se me ofreció ayer nada más llegar a Vega de Valcarce. No le presté demasiada atención, la verdad.

—Pues Esther, tan solo nos pide a cambio que le demos de comer. Se le ve buena gente. —Adán trata de justificar la compañía de Toro.

—Venga o no venga, lo que está claro es que si no nos ponemos ya en marcha acabaremos durmiendo en plena montaña esta noche. —PJ mete prisa.

Todos inician la marcha dejando atrás por fin el pueblo. Son las nueve de la mañana y las tripas de PJ comienzan a rugir. No han desayunado con las prisas, y eso no es muy aconsejable para comenzar a andar. La ausencia de la casera ha provocado que no hubiese nada preparado.

Apenas han transcurrido unos minutos cuando a lo lejos ven un todoterreno de la Guardia Civil cortando el paso. Unos cuantos agentes rodean el vehículo y uno de ellos dirige su mirada al grupo. Se apresura a darles el alto de manera acelerada.

—Disculpen. Tendrán que dar un rodeo si quieren continuar. Por aquí no pueden seguir —ordena el agente.

PJ observa cómo despliegan un plástico de color dorado y lo extienden sobre el suelo. No logra distinguir nada.

—Pero… las flechas indican que es por aquí —protesta Esther.

—Mire, señorita, le repito que el camino está cortado. O dan la vuelta y se quedan en el pueblo, o cogen una ruta alternativa.

Adán se percata de que al lado de una de las ruedas del coche patrulla hay restos de sangre, y trata con poco disimulo de acercarse más al vehículo. El agente enseguida se da cuenta y lo agarra de mala gana por el hombro. La mirada de Adán se clava en la de aquel hombre.

—Acérquese más y se viene conmigo al cuartelillo por desobediencia a la autoridad —amenaza el Guardia Civil.

—Vale, tranquilo, picoleto. Ya nos vamos.

—No os preocupéis, chicos. Tenéis la suerte de que esté yo. —Toro esboza una extraña sonrisa mientras mira de reojo el plástico que acaban de colocar los guardias. Se relame—. Conozco una ruta alternativa. Ya os dije que esta es mi tierra: la conozco como la palma de mi mano.

Adán asiente con la cabeza. Tras acomodarse su enorme mochila, da media vuelta y comienza a caminar. Los demás lo siguen a excepción de PJ, que continúa parado sin dejar de observar los alrededores. Esther le espera a unos metros con cara de circunstancias.

Al final, decide reemprender la marcha, pero no sin antes percatarse de que una mano inerte sobresale del dorado plástico. Algo grave está pasando.

9

—Estoy muerto de hambre. O paramos un momento para comer algo o no podré dar un paso más. —PJ bebe por enésima vez de su cantimplora.

—Tienes razón. No desayunamos al salir por las prisas y ahora lo estamos pagando. —Esther se gira hacia sus compañeros—. ¡Chicos! Vamos a parar unos minutos para almorzar.

Adán se acerca a Esther y la aparta con disimulo del resto.

—Esther, hemos salido muy tarde del pueblo y llevamos un retraso importante. Y encima, no estamos siguiendo el camino oficial. No vamos a encontrar albergue.

—Ya lo sé, pero tenemos que reponer fuerzas. Serán solo unos minutos, te lo prometo.

—Está bien. Porque de lo contrario, seguiremos nosotros con Toro y os las apañáis solos.

Esther sonríe a Adán dándole una palmada en el hombro. Ambos dejan caer sus mochilas sobre la vegetación del monte, y los demás hacen lo propio. Toro se sienta en una piedra y silba a su perro, que acude a la llamada. Se tumba a su lado mientras es acariciado por su dueño.

PJ saca unas barritas energéticas de su macuto y se las come con ansia. Esther lo observa con gesto serio, sin quitar ojo a Toro, que parece absorto en la naturaleza que les rodea. No ha abierto la boca desde que se desviaron del camino.

La joven coge un plátano de aspecto dudoso, y con cara de asco lo pela con parsimonia. Se lo come por pura obligación, mientras rebusca en su mochila alguna otra cosa para echarse a la boca. No tiene éxito.

Adán se acerca a Toro, pero se encuentra con el gruñido desafiante de su perro. Asustado, retrocede, pero Toro lo agarra por el collar y le regaña.

—Perdona, chico. Piraña no suele fiarse de los desconocidos. En un par de días ya os habrá cogido cariño.

—Qué majo el perrete. Y qué dientes tiene el *hioputa*. Bueno, quería preguntarte si querías comer algo.

—Oh, no te preocupes, muchacho. Tengo reservas de sobra. —Toro suelta una risotada señalándose la oronda barriga que le cuelga por debajo de las ingles.

—Ya veo, ya. Estás hermoso, desde luego. De todos modos, luego al llegar te daremos de comer, tal y como acordamos.

—Lo sé, chico. No tardaremos demasiado en llegar al puerto. Hemos cogido un atajo y hemos acortado al menos media hora de camino.

—Pero si dejamos de ver flechas amarillas por lo menos hace una hora. Los picoletos nos sacaron del camino por el fiambre ese.

—Te aseguro que hemos salido ganando con ese desvío. Además, por aquí estáis más en contacto con la naturaleza y no estamos por tantos camino de tierra y asfalto. Os saldrán unas fotos de escándalo.

—Habrá que fiarse de ti, *pisha*.

Adán regresa con su gente mientras PJ se incorpora tras tomar el último trago de agua. Recoge su mochila y se la carga a la espalda. Esther lo acompaña.

—No estoy muy a gusto, Esther. No tengo ni idea de por dónde vamos y apenas tengo cobertura. Creo que si regresamos, ya habrán retirado el cuerpo ese y podremos seguir por el camino normal.

—¿Estás loco? No conocemos el monte y acabaríamos desorientados. No nos queda más remedio que seguir al grupo. Yo tampoco estoy bien desde lo de anoche, pero procuro no pensar en ello.

—Y luego está Toro. No me fio de ese hombre. Nos está metiendo por mitad del monte y nos tenemos que fiar sin saber nada de él. Aquí no tengo cobertura, y si tenemos un percance físico no podremos pedir ayuda.

—Eres un poco agonías, PJ. Mira, haremos una cosa: al más mínimo problema, se lo decimos a los gaditanos y continuamos nosotros solos. ¿Te parece bien?

—Vale. Pero ¿y tu amiga? Me dijiste que te encontrarías con ella en la siguiente etapa.

—¿Adela? —Esther suelta una carcajada—. Por ella no te preocupes. Le mandé un WhatsApp anoche y te aseguro que está mejor que tú y que yo. En O 'Cebreiro nos reuniremos con ella.

—La verdad es que no está resultando la experiencia como la imaginaba.

—¿Lo dices por mí? Si quieres caminar solo, no tienes más que decírmelo. —Esther frunce el ceño y acelera el paso dejando a PJ unos metros atrás.

El chico se detiene ante la inesperada reacción de ella. Es consciente de que el comentario ha sido desafortunado y maldice por lo bajo. Mira a su alrededor y de pronto se siente solo. Los árboles y la abundante vegetación que lo rodean le hacen sentirse diminuto.

Cuando quiere darse cuenta, Esther y el grupo han desaparecido de la vista. Por instinto, mira el móvil comprobando que está sin conexión. Lo levanta por encima de la cabeza a ver si de esa manera capta alguna señal, pero no llega ni un ápice de cobertura.

Desbloquea la pantalla y esta parpadea varias veces de forma extraña. Parece que el teléfono está fallando. PJ trata de llegar hasta el GPS, pero no lo consigue. El móvil se apaga definitivamente emitiendo un chasquido.

—No me lo puedo creer —murmura por lo bajo.

Al levantar la cabeza y despertar del letargo que le ha ocasionado la pérdida de su teléfono, se da cuenta de que han pasado por lo menos cinco minutos y ya no se escuchan las voces de los gaditanos, que no paran de hablar durante la caminata.

Asustado, retorna la marcha por donde vio por última vez a Esther. Varios árboles se interponen en una bifurcación del terreno; se nota que ha sido pisada la hierba en ambas direcciones, por lo que un sudor frío recorre su espalda. No quiere perderse en esas condiciones, ya que con toda seguridad le tocaría pasar la noche solo, o incluso deshacer todo el camino hasta regresar a Vega de Valcarce.

—¡Esther! —grita con todas sus fuerzas—. ¡Esther!

La respuesta es el vuelo de varias aves que, asustadas, desaparecen del lugar. No se escucha nada más. Los sonidos del bosque retumban en los oídos de PJ, pero ninguna señal por parte de sus compañeros de viaje.

Mira a su alrededor asustado, tratando de controlar todo lo que alcanza la vista. Deja caer su mochila y rebusca en ella: saca una brújula que cogió antes de salir de Madrid. Siempre pensó que no le serviría de nada, pero la guardó en el último momento. Perteneció a su padre, y eso ya de por sí le otorga un valor sentimental.

Mira el mapa del Camino que guarda en el pantalón. Localiza la situación en el mismo de su destino, el puerto de O 'Cebreiro. Observa en qué punto cardinal está situado y después vuelve a consultar la brújula. Decide tomar el camino de la izquierda fiándose del antiguo aparato de su padre.

—Ayúdame un poco, papá —susurra mirando al cielo azul que en ese momento se impone.

Apenas ha recorrido doscientos metros cuando un ruido lo pone en alerta. Detiene el paso en seco y se vuelve de inmediato. No distingue nada. Le tiemblan hasta las pestañas, pero decide permanecer quieto unos segundos más. Solo escucha el latir acelerado de su corazón.

Se anima a continuar, convenciéndose a sí mismo de que pronto se reunirá con los demás, pero, de nuevo, un crujir de ramas le hace clavarse en el sitio. Lo sigue un desafiante gruñido.

PJ no respira. No se atreve a hacerlo para no alterar lo que sea que lo esté acechando. Con extrema lentitud, va aproximando la mano derecha a uno de los bolsillos del pantalón para coger una navaja, pero el temblor le impide desabrochar el corchete.

Otro gruñido, esta vez mucho más cerca, le hace comenzar a correr como alma que lleva el diablo. La vegetación que se abre a su paso es cada vez más densa y apenas le permite ver qué tiene enfrente, pero PJ no deja de correr. Mira hacia atrás por instinto pero no logra distinguir nada. Cuando vuelve a girar la cabeza, se da de bruces contra un árbol y cae sobre unos arbustos, desorientado.

El golpe ha sido tremendo y apenas puede abrir los ojos. La sangre comienza a brotar de una pequeña brecha que se ha hecho en la frente, y un dolor agudo le hace recobrar por un instante la consciencia. Pero el mareo que siente le impide recuperar la verticalidad.

Unos pasos se aproximan a él hasta detenerse a su altura. PJ siente cómo un aliento nauseabundo le calienta la cara, y unas gotas espesas le caen en pleno rostro. Un gruñido le hace abrir los ojos.

Y allí está: un lobo de mirada desafiante lo observa con detenimiento, como si se estuviera recreando en su presa antes de acabar con ella. La bestia enseña sus poderosos dientes, dejando caer una baba pastosa fruto del hambre. Saca la lengua y lame la sangre que mana de la herida del muchacho. Después, el animal se relame, dispuesto a dar la primera dentellada.

—¡PJ! ¿¡Dónde estás!? —grita Esther, desesperada.

El lobo, al escuchar las voces, propina un mordisco a PJ en el brazo y comienza a arrastrarlo hacia la maleza. PJ grita de dolor y comienza a patalear hasta alcanzar a la bestia en el estómago, pero esta no lo suelta.

En ese momento, llega Adán junto con Esther. Ambos se quedan petrificados ante lo que están viendo.

—¡Suéltalo!

Adán coge una piedra y la lanza con todas sus ganas al lobo. No consigue alcanzar su objetivo, pero sirve para que suelte a PJ y huya a toda velocidad hasta desaparecer en el interior del bosque.

PJ se retuerce de dolor en el suelo, y Esther se agacha junto a él para revisar la herida. Observa primero la frente y comprueba que se trata solo de un corte. Adán se acerca también.

—¡Te perdí de vista! Empecé a andar cabreada y, cuando me quise dar cuenta, no me seguías. ¿Cómo ha pasado esto?

David, con gesto serio de dolor, trata de sentarse, pero los brazos de Adán se lo impiden. Llegan los demás a paso acelerado, junto a Toro, que parece no tener demasiada prisa en ver qué ha pasado. Se sienta a un par de metros del muchacho herido.

—Me quedé un rato solo, pensando en mis cosas. Después, me desorienté sin más. Esa cosa venía siguiéndome y me ha atacado. ¿Cómo tengo el brazo?

—Has tenido suerte. Te ha hecho una herida, pero superficial. La ropa que llevas puesta no ha dejado que te desgarre la carne con los dientes. Pero en la frente tienes un buen chichón y una brecha —señala Esther mientras trata de contener la hemorragia.

—Los del SEPRONA te van a detener por desconchar los árboles, *pisha*. —Adán señala el pino causante de su herida.

PJ sonríe la ocurrencia de su compañero, pero el dolor le hace torcer de nuevo el gesto. Gira la cabeza hacia Toro, que permanece en silencio junto a su perro observando la escena. El resto del grupo está junto a él.

—Creo que ya me puedo levantar. Ayudadme.

Adán lo coge por debajo de los hombros y de un tirón lo pone en pie. Esther le ayuda y, tras unos segundos comprobando que no se marea, lo dejan solo. Adán se abraza a Pepe mientras Quique zarandea con su palo los matorrales que tiene a su alrededor. Toro se levanta y le agarra el brazo de manera ruda.

—¿Qué estás haciendo, chico? —gruñe Toro con cara de pocos amigos.

—Es por si está el bicho ese todavía por aquí. No me gustaría que apareciese de nuevo.

—No creo que vuelva. Ahora mismo estará con su manada.

—¿Manada? Pero ¿hay muchos lobos por aquí?

—¿Tengo cara de llevar el control de la fauna de estos montes? No os preocupéis por lo que ha pasado. El tirillas este ha cometido una imprudencia quedándose solo, y al animalillo se lo ha puesto en bandeja. Eso es todo.

—¿Qué me has llamado? Mira, para empezar yo no te llamo gordo de mierda, así que respeta al menos. Lo segundo es que ni Esther ni yo hemos contratado tus servicios. Y lo tercero, no es normal que estas bestias campen a sus anchas por zonas donde se supone que debería de haber un mayor control.

—Tranquilo, hombrecito. Estás en la naturaleza, y como tal, debes respetarla y aceptarla tal y como es. Si hay lobos, tendrás que estar más atento a tu espalda. Ten en cuenta que eres tú el que estás en su territorio, y no al revés. Tenlo en cuenta, tirillas.

Toro sonríe de manera burlona y, tras silbar a su perro, comienza a andar. Los demás se quedan callados conscientes de que, en parte, el hombre tiene razón. A partir de ahora tendrán que caminar con cuidado, observando todo lo que les rodea.

—Esther, si no llegas a aparecer, esa cosa me habría devorado. No quiero seguir por estos montes. Creo que el tipo ese nos está buscando una encerrona.

—PJ, cuando lleguemos a O 'Cebreiro nos desmarcaremos del grupo y de él, pero ahora tenemos que seguirlo para salir de estos parajes. No nos queda otro remedio.

—Te equivocas. Mira, tengo una brújula y el mapa. Podemos apañarnos bien sin Toro. —PJ señala el aparato de su padre.

—No lo dudo. Pero hagámoslo por los demás compañeros. Después hablaremos con ellos, y lo entenderán.

PJ se queda mirando a los ojos a Esther y agacha la cabeza. Asiente finalmente, y la chica le levanta el mentón y le da un cálido beso. Adán silba tras ellos y comienza a aplaudir.

—Eso se veía venir, parejita.

Esther ríe ruborizada, pero PJ permanece serio. Se mira la herida del brazo, donde uno de los colmillos del animal logró traspasar la ropa. No tiene desgarro, pero penetró en la piel y ahora un pequeño agujero le arde de manera desagradable.

—¿Te duele mucho?

—No, es escozor lo que siento. Me molesta más la cabeza. —PJ se sujeta un pañuelo en la frente para taponar la brecha.

—No se te puede dejar solo. ¿Estás para andar? No creo que se te hayan quedado ganas de quedarte aquí a acampar, ¿no?

—Ni de coña. Venga, sigamos al fanegas ese y acabemos con este día de mierda.

El grupo reanuda la marcha manteniendo unos metros de distancia de Toro, que, escoltado en todo momento por su perro, camina a paso firme. Parece como si tuviera un GPS incorporado en la cabeza.

El sol calienta y el grupo comienza a despojarse de las sudaderas, ya que por las mañanas el fresco es importante. Tras un par de horas de caminar en silencio aparecen en el horizonte varias montañas rodeadas por un verde intenso. Parece sacado de una postal.

Toro observa satisfecho y se vuelve hacia el grupo con cara de orgullo.

—Muchachos, aquello que veis es el puerto de O ´Cebreiro. Bienvenidos a Galicia.

10

La cuesta es muy empinada y el grupo comienza a separarse. Cada uno lleva un ritmo diferente y la distancia entre unos y otros es ya considerable.

Hace media hora que empezaron a subir por la carretera que da acceso el puerto. Los primeros tres kilómetros tienen unas rampas con un desnivel del diez por ciento y las piernas comienzan a sufrir. Los gaditanos son los que marchan en cabeza. Esther y PJ están a un kilómetro de ellos, ya que el estado físico del chico es cada vez peor. Aparte de las heridas causadas por el ataque del lobo, la rodilla derecha le está dando problemas.

Sin embargo, Toro parece que ahora no tiene prisa. Al salir del atajo del monte, las flechas amarillas ya están haciendo el trabajo por el que lo contrataron. Se ha quedado sentado al inicio de la subida junto a su perro para descansar.

El sol aprieta fuerte, y PJ se quita la camiseta para tratar de refrescarse un poco. Ya no tienen agua y la sed comienza a hacer de las suyas. Varios peregrinos con más fuerzas los pasan a una velocidad considerable.

—Eres consciente de que no tendremos cama allí arriba, ¿verdad? —pregunta PJ con gesto contrariado.

—Reza para que no sea así. Necesitas descansar en un colchón, aunque sea de los viejos.

—Esther, son las dos del mediodía y deberíamos haber llegado como muy tarde a la una. Y no hacen más que pasarnos los peregrinos.

—Ya me estoy dando cuenta. Esperemos que Adán y los demás lleguen pronto y puedan guardarnos sitio. Estoy como loca por poder ducharme.

—Me duele la rodilla. Creo que en la siguiente curva hay un puesto de la Cruz Roja, si no me engaña la vista. Paremos un momento a ver si me pueden echar algo.

Tras varios minutos bordeando la carretera, en efecto aparece una pequeña sombrilla con dos voluntarias. Tienen una mesa con botellas de agua, algo de fruta y lo que parece un botiquín.

PJ acelera el paso deseoso de ser atendido, pero Esther lo frena con el brazo para que no haga esfuerzos innecesarios. En seguida, una de las chicas levanta la cabeza. Observa el rostro demacrado de PJ y le sale al paso.

—Pero ¿qué te ha pasado? ¿Necesitas ayuda? —La chica observa la herida y el hematoma de la frente de PJ.

—Buenos días. Necesito ayuda, sí, pero no por lo de la cabeza. Me he caído y tengo la rodilla fatal. Me molesta desde hace un par de horas.

—Estás hecho un cromo. En el brazo también tienes sangre. Normalmente atendemos a los peregrinos por ampollas o esguinces, pero tú parece que vengas de la guerra. Anda, siéntate en el margen de la carretera que vamos a ver esa rodilla.

La mujer coge un bote de *spray* del botiquín y una pomada, y se sienta junto a PJ. Esther deja la mochila en el suelo y, con los brazos en jarras, observa la escena. Mira de reojo las botellas de agua.

—¿Queréis agua? —pregunta la otra muchacha, consciente del gesto de Esther—. Es gratis, lo único es que no está fresca.

—Uf, sí. Te lo agradecemos mucho. Tenemos la boca como una alpargata.

Esther coge dos botellas y bebe de una hasta saciarse. La otra la guarda en su mochila. PJ permanece sentado y está siendo atendido por la mujer. Su gesto de dolor es evidente, pero la voluntaria sigue explorando la articulación.

—Lo de la rodilla no es nada. Se te ha inflamado por el esfuerzo y solo necesitas descansar. Lo que no me gusta nada es el aspecto de la herida del brazo. Llevo muchos años siendo voluntaria de Cruz Roja, y eso es un mordisco. ¿Me equivoco?

—No. Hace un par de horas, en el monte, me atacó un lobo enorme. He tenido mucha suerte de que mis compañeros estuvieran cerca. La brecha de la cabeza fue porque al huir de él me di contra un árbol.

—Chico, ¿se puede saber por qué estabais en el monte? No se aconseja caminar por esa zona, que además está alejada del camino oficial.

—Un guía nos ha llevado por allí. Nos dijo que tendríamos unas vistas increíbles del puerto y que acortaríamos mucho tiempo.

—Madre mía, sois unos inconscientes. Pues no solo no habéis acortado nada, sino que dudo mucho que encontréis cama en el albergue. Al estar solos en el monte, no tenéis la posibilidad de pedir ayuda en caso de accidente, ya que allí no hay cobertura.

—Yo no estaba de acuerdo, pero al salir del anterior pueblo la Guardia Civil nos cortó el paso por un fallecido que estaba en medio del camino.

—¿Salisteis de Vega de Valcarce?

—Sí, de allí mismo.

—Pues, según nos han contado, han asesinado a la dueña del albergue de Vega. Y por lo visto han sido los lobos. Has tenido mucha suerte en el monte, chico.

La cara de PJ palidece. Mira a Esther, que no ha podido evitar escuchar, y ambos tuercen el gesto. Las voluntarias se percatan de ello.

—Esa mujer estuvo con nosotros anoche. Yo misma la acompañé a solucionar un problema con la luz. —Esther agacha la cabeza.

—Pues por lo visto la han devorado. Por lo que me cuentas, deben de estar hambrientos para atacar a las personas. Mira que llevo años por aquí y jamás había escuchado nada igual. Ya podéis tener cuidado de ahora en adelante. —La voluntaria termina de untar una pomada en la rodilla de PJ—. Esto ya está, muchacho. No hagas muchos esfuerzos, al menos en lo que queda de día.

—Muchas gracias. Me siento algo mejor.

—¡Espera! Déjame ese brazo, que veo que se te va a infectar.

La enfermera saca un bote de alcohol y una gasa. Con cuidado, rocía la herida provocando un gesto de dolor de PJ, que prefiere no mirar. Limpia bien la zona de restos de tierra y, tras cortar un par de trozos de esparadrapo, tapa bien la mordedura con la gasa. Echa un último vistazo a la frente del chico y, finalmente, sonríe satisfecha.

—Ahora sí que te puedes marchar. Yo te recomendaría que abandones tu peregrinar a Santiago y te acerques a un hospital para que te pongan la vacuna antitetánica. Esos animales pueden transmitir cualquier cosa, y yo no me fiaría. Es solo un consejo.

—Gracias de nuevo. Lo tendré en cuenta. Ahora lo que necesito es llegar arriba y descansar.

Ambos se vuelven a colgar las pesadas mochilas y reanudan el viaje, dejando atrás a las voluntarias. El silencio se apodera del momento; la noticia de la muerte de la mujer del albergue los ha conmocionado.

PJ se vuelve para ver a qué distancia van, cuando se percata de que Toro les está dando alcance. Un sudor frío recorre su espalda, y coge de la mano a Esther. La aprieta.

—¿Qué te pasa? ¿Te sigue doliendo?

—No es eso. El guía de los gaditanos nos sigue. Lo tenemos detrás, a unos doscientos metros.

—Bueno, dijo que subiría en cuanto descansara un rato.

—Pues no me gusta, Esther. No pienso pararme a esperarlo, y mucho menos caminaré junto a él. En cuanto descansemos allá arriba nos libraremos de su presencia. Mañana quiero salir solo. Bueno, y contigo.

—Ya lo hemos hablado. No te preocupes, que así lo haremos.

PJ suelta la mano de la chica y prosiguen la marcha. Tras media hora caminando en silencio, Toro les da alcance. El enorme perro trota por delante de ellos ajeno a la presencia de los chicos, y él se sitúa junto a Esther. No dice nada.

Toro respira muy fuerte debido a su peso, pero muestra una agilidad impropia de su obesidad. Debido a su paso rápido enseguida sobrepasa a Esther y a PJ, y comienza a sacarles distancia. Los chicos no salen de su asombro.

En ese momento, Toro gira la cabeza sin dejar de andar y sonríe.

—Vosotros no llegáis a Santiago. —Acto seguido, suelta una risotada burlona.

Sin añadir nada más, continúa su camino seguido de Piraña. PJ rechina los dientes de pura rabia y acelera el paso. Esther, consciente de sus limitaciones, lo agarra del brazo para que aminore la marcha.

—Déjalo. No creo que aguante andando a esa velocidad.

—Nos está provocando, el cabrón. Y encima se escuda en el chucho sarnoso que lo acompaña.

—Oye, me estoy dando cuenta de que no he vuelto a sacar la cámara desde que estuvimos en la cabaña de Vicente. Ya que no vamos a conseguir sitio ahí arriba, ¿te parece que nos hagamos unas fotillos? —Esther trata de quitarle hierro al asunto.

—No tengo cara para fotos. —PJ se señala a la frente.

Esther sonríe y saca la cámara de su mochila ignorando el comentario de su compañero. Sin dejar de andar, empieza a manipular la máquina y enfoca hacia delante. Suelta una carcajada mientras trastea con el objetivo.

—¿Qué estás haciendo?

—Estoy enfocando el enorme culo de Toro. Tenemos que inmortalizarle de alguna manera.

En ese momento, Toro detiene la marcha. Se vuelve con parsimonia hacia los chicos y clava la mirada en Esther. Esta baja el objetivo de la cámara muy despacio y trata de disimularla tras ella. Se encuentran a unos cien metros de la enorme figura del guía, que comienza a caminar hacia ellos a paso lento.

Tras unos segundos incómodos, llega hasta la pareja. Mira a los ojos de PJ y arranca la cámara de las manos de Esther que, sin esperarlo, suelta un pequeño grito. Piraña gruñe a su lado, desafiante.

—No me gustan las fotos, niña. Bórrala de inmediato o te reviento la cámara contra el asfalto.

Esther contiene la respiración, pero enseguida accede a la amenaza de Toro, que le devuelve la cámara. A pesar del temblor de manos, consigue llegar hasta la galería de imágenes. Muestra la pantalla de la parte trasera a Toro, y un icono de un cubo de basura aparece en ella. Esther selecciona la foto de la espalda de Toro y la borra. PJ contempla la escena, atónito.

—Así me gusta, princesita. Buena chica.

—Solo estábamos tratando de divertirnos. No era necesaria la amenaza —le responde, visiblemente nerviosa.

—Bueno, pero para la próxima ya lo sabes. Y no lo vuelvas a intentar porque me enteraré. Y será mi Piraña quien os lo pida a su manera. ¿Nos vamos entendiendo?

Esther no responde. Guarda la cámara en la funda y la devuelve al fondo de su mochila. PJ está haciendo un verdadero ejercicio de contención para no partirle la boca al grandullón, pero sabe que no tendría nada que hacer. Y menos con su perro al lado.

Los dos se echan a un lado de la carretera mientras Toro prosigue la marcha. Lejos de seguir por la calzada, se desvía a la derecha y comienza a subir por el margen, donde la vegetación es muy abundante y espesa. A los pocos segundos desaparece de la vista.

—Creo que deberías llamar a Adán. Entre unas cosas y otras hemos perdido demasiado tiempo.

—Ahora lo llamo, Esther. A mí lo que me parece increíble es que se haya enterado de la foto. Estaba muy lejos, y es imposible que haya podido escucharte.

—Pues lo ha debido de hacer. ¿Qué explicación, si no, le das tú?

—Yo llamaría a la Guardia Civil. Ese tipo seguro que está fichado. En fin, voy a ver si hay cobertura.

PJ saca el teléfono. Comprueba con satisfacción que hay línea y marca el número de Adán. Tras varios tonos, por fin responde.

—*Pisha*, ¿por dónde andáis?

—Seguimos al principio de la subida. Tardaremos en llegar al albergue. ¿Ya estáis allí?

—Quique y yo no, pero los demás llegaron hace un buen rato. Han conseguido cama, pero no les permiten guardarla a nadie más. Por lo visto, va por orden de llegada.

—¡Joder! ¿No podéis hablar con la gente de allí? Decidle que voy herido y que necesito al menos un colchón.

—A nosotros nos queda un kilómetro para llegar. Hablaremos con ellos. ¿Estás peor?

—Me duele todo. Pero ahora se me hinchó la rodilla. Te lo agradezco mucho. Nos vemos arriba.

PJ cuelga el móvil. Esther lo mira con cara de pena.

—Venga, lleguemos de una puta vez.

11

Las dos y media del mediodía se marcan en el reloj digital que PJ lleva en la muñeca. Sin camiseta, despeinado y con las gafas resbalando por la nariz por culpa del sudor, entra en el albergue con la esperanza de al menos sentarse en algún sitio cómodo. Allí dentro hace algo de fresco, y enseguida desanuda la camiseta del asa de su mochila. Se la pone y busca con la mirada a Esther. No la ve.

Hasta hace unos segundos estaba justo detrás de él. PJ vuelve a ponerse nervioso, y gira la cabeza con rapidez de un lado a otro. Decenas de peregrinos descansan por los alrededores, sentados donde buenamente pueden. Al fondo distingue una especie de recepción donde un hombre está atendiendo. Varios carteles indican el punto kilométrico donde se encuentran del Camino, y una enorme concha con la Cruz de Santiago adorna una de las paredes de piedra.

PJ deja la mochila a un lado y comienza a recorrer el lugar. Trata de tranquilizarse, convenciéndose a sí mismo de que ella estará por la zona. Es imposible que lo haya abandonado. Recorre uno de los pasillos y llega hasta lo que parecen ser las habitaciones y las duchas. Enseguida le llega el inconfundible olor a jabón, y el vapor del agua caliente le empaña las gafas. Una de las puertas se abre y sale Begoña con una toalla enroscada en la cabeza, y otra cubriéndole todo el cuerpo. Ambos se sobresaltan.

—¡Hombre, el madrileño AJ! —vocifera la chica.

—PJ. Me llamo David PJ. Llegaremos a Santiago y seguiréis con la coña. Ya me dijo Adán que habéis conseguido habitación.

—Sí, mi *arma*. Bueno, tan solo había para Rubén y para mí, pero nos meteremos todos. —Begoña se aproxima al oído de

89

PJ—. Pero no se lo digas al tipo del albergue, que se supone que está prohibido —susurra mirando a su alrededor.

—Vale, bien. Nosotros no sabemos qué hacer. Esther y yo hemos llegado ahora mismo y yo me encuentro fatal. Mira cómo tengo la rodilla.

Begoña echa un vistazo y se muerde el labio inferior.

—Mala pinta tiene eso, *pisha*. Pues en la habitación no creo que entre una mosca más. Porque solo hay dos camas de noventa y los demás tendrán que hacer el Tetris con sus sacos en el suelo. Habla con el dueño del lugar, quizás se apiade de ti. Te dejo, que me estoy quedando helada.

Corretea con las chanclas hasta llegar a la habitación, donde Rubén la espera aún con la ropa del camino puesta. Lleva las cosas del aseo en una bolsa. Es el siguiente en la ducha.

PJ maldice por lo bajo y da media vuelta. Llega de nuevo a la entrada, donde su mochila lo espera donde la ha dejado. Prefiere salir al exterior para ver si localiza a Esther. El sol está en lo más alto, y PJ se sienta en el suelo apoyando la espalda en la pared del albergue. Cierra los ojos y se queda escuchando todo lo que tiene a su alrededor. El dolor que lo acompaña no cesa, y le impide relajarse.

Escucha la voz de su amiga a lo lejos. Abre los ojos, nervioso, y se levanta con rapidez. La busca con la mirada pero no logra verla. Rodea el albergue a paso rápido, y es entonces cuando la ve. Está charlando animadamente con un grupo de gente a la cual no logra reconocer. Esther se percata de la presencia de PJ y camina hacia él con gesto alegre.

—¡Te había perdido la pista! Pensé que te habías tomado en serio las recomendaciones de la chica de la Cruz Roja —bromea mientras lo abraza.

—No pienso abandonar. Me había asustado al no verte.

—Pues aquí estoy. Iba detrás de ti cuando reconocí al grupo en el que caminaba mi amiga Adela. Mira, es esa de ahí. —Señala a una chica delgada, de piel blanca y pelo por los hombros—. Ven, que te la presento.

PJ sigue a su compañera de la mano. Sus mejillas comienzan a tornar en un color rojizo de pura vergüenza. Lo único que quiere es descansar, pero los astros se están alineando para que sea todo lo contrario.

— Adela, mira: este es PJ, el chico del que te estaba hablando.

— ¡Hola! Encantada. — Ambos se dan besos.

PJ se limita a mostrar una media sonrisa y se retira a un lado para que ellas puedan seguir hablando. La intimidad que querría tener con Esther ha desaparecido del todo. La idea del abandono comienza a coger fuerza en su cabeza. Coge el móvil y descubre que tiene buena cobertura de datos. Mira los autobuses más cercanos que hacen su recorrido hasta Santiago, pero ninguno para por la zona. Tendría que volver a Vega de Valcarce. Tuerce el gesto y apaga el teléfono por la rabia. Comienza a andar alejándose del grupo de Adela.

Esther lo sigue, percatándose de que algo no marcha bien. Lo agarra de un brazo y PJ detiene su marcha. Él sonríe a Esther tratando de hacerle ver que no pasa nada, pero su cara es un poema.

— ¿Qué pasa? — pregunta ella, contrariada.

— Nada. Solo necesito descansar y olvidar todo lo que ha pasado. Ha sido un día duro.

— Tienes razón. Perdona por no poder estar contigo, pero hacía un par de días que no veía a Adela y me estaba contando lo que ha vivido en todo este tiempo. Ella va a seguir con el grupo. Se ha ligado al italiano, ya sabes. — Le guiña un ojo.

— No te preocupes. A mí me acabas de conocer y ella es tu amiga. Entiendo que quieras estar con ella. Voy a ver si como algo y me tiro en cualquier sitio. Ya no puedo más.

— Pero yo quiero seguir contigo. Espera aquí, que voy a despedirme de ella y comemos juntos. — Esther coge de la cara a PJ y le besa en los labios con dulzura. Ambos sonríen.

Esther vuelve con el grupo de Adela y, tras un par de minutos hablando, se abrazan con efusividad. Luego, regresa junto a PJ, que no puede disimular la sonrisa que se le ha quedado en la cara. Ella se percata y lo abraza con fuerza.

— ¡Vamos! Me comería un lobo entero. De los grandes. ¿Cómo vas de hambre?

— Tengo más sueño que hambre, la verdad. Pero vamos a ver qué hay ahí dentro.

Los dos entran al albergue y se dirigen a la recepción. El hombre los mira con gesto serio y les muestra un panfleto con el logo del Ejército de Tierra. Los chicos se miran extrañados sin entender nada.

—Estamos llenos, hijos. Aquí tenéis información sobre dónde están los puntos donde el ejército tiene sus tiendas para los rezagados. Tenéis una a media hora de aquí, en un claro que hay en el monte. Si os dais prisa, quizá podáis acoplaros. Solo tenéis que seguir este plano.

—Muchas gracias. Lo que queremos es comer. ¿Es posible? —pregunta PJ.

—Si habéis traído vuestra propia comida, podéis ir al comedor grande donde hay un par de microondas. Yo solo tengo bolsas de patatas fritas y algún bollo. No tenemos cocina.

—Pues qué bonito está resultando ser el Camino, coño —protesta PJ por lo bajo—. Gracias de nuevo, señor. Que tenga un buen día.

PJ acepta la hoja de mala gana y va a por su mochila. La coge y sale del albergue seguido de Esther, que tampoco tiene buena cara. Ambos se detienen en la entrada y el muchacho se agacha para buscar algo de comer en su macuto. Saca unas barras de cereales y un trozo de bocadillo que tenía del día anterior. Su cara lo dice todo.

En ese momento, aparece de la nada Toro acompañado de Piraña. Lleva una bolsa con varios bocadillos y unas latas de refresco. Se detiene frente a PJ y a duras penas se agacha junto a él. Su mirada parece que ha cambiado, y su gesto es amable.

—Parece que estáis en apuros, muchachos. Y me necesitáis más de lo que creéis. —Abre la bolsa y saca uno de los bocadillos.

PJ saliva al llegarle el olor a chorizo. Pero su orgullo le impide cogerlo, y comienza a abrir una de las barritas. Esther, sin embargo, no desaprovecha la ocasión y rebusca en la bolsa de Toro. Coge uno y le quita el papel de plata que lo envuelve. El primer bocado le sabe a gloria bendita.

—Esther, entiendo que tengas hambre, pero ¿no te has parado a pensar de dónde ha sacado esto? Se supone que hacía de guía a cambio de que le diéramos de comer. ¿Y ahora nos alimenta él a nosotros?

—Mira, cuando me termine el bocata ya le preguntaré. — Esther habla con la boca llena.

El muchacho mira el rostro de Toro, que sonríe. No le gusta nada aquel tipo, pero finalmente acepta el bocadillo y se sienta en el suelo junto a su compañera. Toro hace lo propio y coge el bocadillo más grande. Más de media barra de pan acabará en el fondo de su enorme tripa. Piraña se conforma con lo que su dueño le va tirando entre bocado y bocado.

Los tres comen en silencio. El hambre ha podido con las rencillas del camino y sus estómagos por fin tienen una pequeña tregua. Tras acabar, beben las latas que Toro les ha proporcionado. Esther decide tomar la iniciativa:

—Vamos a hablar en serio. ¿Tú de dónde has salido y qué es lo que quieres en realidad?

—Ya os lo dije, muchacha. Me gano la vida yendo de aquí para allá, ayudando a gente como vosotros.

—Sí, ya nos lo dijiste. Pero ¿qué ganas con hacerlo? Porque dinero no te daremos, y encima la comida nos la traes tú. Hay algo que no me encaja.

—Normal que no lo entiendas. Digamos que lo de hoy ha sido algo especial. Un tipo de la zona me debía un favor, y se lo he cobrado con la comida que os he traído. No hay que darle más vueltas. Seguro que mañana seréis vosotros los que me alimentéis a mí. —Los ojos de Toro se oscurecen al pronunciar estas palabras.

—Pues te lo agradecemos, pero mañana no contaremos con tus servicios. Ella y yo seguiremos solos —interviene PJ.

—¡Oh, vaya! ¿Así es como agradecéis este gesto que he tenido con vosotros? Porque aparte de la comida, os he conseguido un sitio para dormir en la tienda militar que hay en el monte. ¿O preferís dormir al raso?

Ambos muchachos se miran contrariados. Saben que no tienen muchas opciones, pero aceptar su oferta es seguir el camino con él al menos una etapa más.

—Muy bien. Llévanos a la tienda del ejército y mañana hablaremos de cómo lo hacemos. Supongo que estarás en contacto con los gaditanos, ¿no? —pregunta Esther ante la mirada incrédula de PJ.

—Sí, ya hablé antes con ellos. Hemos quedado aquí mismo a las siete de la mañana. Todos preparados.

—Muy bien. Estaremos aquí a esa hora. Vámonos que necesitamos descansar.

Los tres se incorporan y, tras recoger las mochilas, comienzan a caminar hasta salir de las inmediaciones del albergue. Toro enseguida se distancia de ellos junto a su perro, lo cual permite a los chicos quedarse unos instantes tranquilos.

—¿Estás loca? Habíamos hablado de seguir solos —protesta PJ procurando no levantar la voz.

—Déjame a mí. Mañana antes de que amanezca tú y yo ya habremos salido.

—Pero tarde o temprano nos alcanzarán. Tienen mejor ritmo andando que nosotros, y te recuerdo cómo tengo la rodilla.

—Ya lo había pensado. Nosotros iremos por el margen de la carretera. Tengo un mapa y, aunque andemos algo más que por el camino normal, el destino es el mismo. Tragaremos algo de tubo de escape, eso sí.

—No lo termino de ver, pero como quieras. Me fio de ti —resopla.

Tras varios minutos andando por el monte, por fin llegan a una explanada donde dos enormes tiendas militares permanecen ancladas al terreno. Varios peregrinos están tumbados en la hierba que hay por los alrededores.

Una mujer uniformada de camuflaje aparece en escena con una lista en la mano. Da un repaso de arriba abajo a los muchachos con gesto serio. Masca un chicle de una manera bastante ordinaria.

—Buenas tardes, pipiolos. Si no estáis en la lista que sepáis que ya estamos llenos.

—Están, cabo. —Toro interviene y da los nombres de los chicos.

La militar lo comprueba y con el bolígrafo tacha los nombres de PJ y Esther. Hace una pompa con el chicle y, tras explotarla, les sonríe con gesto burlón.

—Vale. Os digo las normas, y abrid bien las orejas porque llevo toda la tarde repitiendo las mismas cosas: la tienda cierra a las nueve de la noche. Solamente dejaremos salir para ir al baño, pero os pedimos que entréis meaos y cagaos. Procurad cenar pronto porque dentro no se puede comer nada. ¡Ah! Y si sois asquerositos, preparaos: ahí dentro huele a pies que tira para atrás. —La militar vuelve a sonreír con sorna mostrando el chicle.

—Suena genial. Muchas gracias. —Esther resopla y se va junto a PJ, que ha contemplado la escena algo retirado.

—Bueno, muchachos. Yo me retiro al monte. Mañana a las siete en punto estaré de nuevo con vosotros. —Toro silba a su perro que andaba correteando por la zona.

—¿Vas a dormir a la intemperie? —pregunta Esther.

—No os preocupéis por mí. Me siento más protegido ahí arriba que mezclado entre vosotros. Procurad descansar.

Toro da media vuelta y desaparece por el camino por el que han venido. Piraña se detiene y se vuelve hacia los chicos, que contemplan la escena contrariados. Gruñe y enseguida se mezcla entre la maleza del monte. PJ vuelve la mirada hacia la tienda y la desazón se apodera de él. Deja caer la mochila sobre la hierba y se tira al suelo. Permanece tumbado boca arriba con los brazos extendidos mientras observa el cielo despejado. Una brisa acaricia su rostro y le despeina. Esther se sienta a su lado.

—PJ, aunque todavía no esté anocheciendo, deberíamos entrar y dormir. El madrugón será importante.

—Sí, ahora entramos. Pero antes, túmbate a mi lado un rato. Mañana pocos momentos tendremos como este.

12

El sonido de la alarma suena en el reloj digital que Esther lleva en su muñeca. Abre los ojos sobresaltada y mantiene la respiración unos segundos. Suelta el aire despacio y mira a su alrededor. Todos duermen bajo la amplia tienda de campaña. Se escuchan varios ronquidos, así como la lona de la tienda mecida por el viento que hay fuera. PJ duerme a su lado abrazado a la mochila, sin enterarse de nada.

La joven bosteza y mira la hora: las cinco de la mañana. Tiene mucho sueño, pero sabe que tienen que ponerse ya en marcha. Aprieta el brazo de PJ para despertarlo. Este reacciona y levanta el cuello para orientarse. Se sienta y se estira de manera exagerada. Se pone las gafas y, sin hacer mucho ruido, se calza y coge la mochila para disponerse a salir de la tienda. Esther ya lo está esperando en la entrada de la misma.

—Abróchate la chaqueta, que hace bastante frío fuera.

—Ya lo noto, ya. Vaya horitas.

Los dos salen de la tienda y tras caminar unos metros los aborda la misma militar que les tomó nota al llegar. Abrigada de pies a cabeza, los mira con gesto de sorpresa. Tras ella, un compañero permanece quieto, y armado.

—¿Salís tan temprano? ¡Si todavía es de noche! Os vais a congelar, chiquillos.

—Llevamos mucho tiempo de retraso y la idea es caminar hoy el doble. Además, tenemos que coger sitio en un albergue o tendremos que renunciar. Este lleva un Camino complicado, y eso que acaba de empezar. —Esther señala las pintas de PJ, que mira a través de su capucha.

—Ya os veo. Os recomendaría que esperaseis a que amaneciera. Estamos vigilando la zona porque en el pueblo de al lado…

—Sí, han atacado varios lobos a una persona. Nos encontramos el pastel ayer nada más salir de Vega —interrumpe a la cabo.

—Pues sí. Venga, tomaos un café que lo acabamos de hacer. Y después arrancáis. Por cierto, soy la cabo Barbero. Gema Barbero.

—Pues muchas gracias, Gema. Te lo aceptamos porque hace un frío que pela. —Esther sonríe con la nariz roja.

Ambos siguen a los militares, y cogen un par de tazas metálicas típicas del ejército. El recipiente humea y Esther aprovecha para calentarse un poco las manos. Varios trinos de pájaros se escuchan de fondo, señal de que no falta mucho para el amanecer.

Beben con tranquilidad, aunque PJ no pierde de vista la hora de su reloj. La cabo Barbero se percata de las prisas que llevan y se acerca al muchacho.

—¿Estáis bien? ¿Os ha pasado algo ahí dentro?

—No. La verdad es que, aunque poco, hemos dormido bien. Más bien, nos ha sucedido ayer. A mitad de camino me atacó un lobo y me dejó el brazo bien marcado. Tuve suerte de que mis compañeros estuvieran cerca.

—¿Y lo de la frente y el ojo? Esto huele a que te han dado una buena paliza. —Gema observa la brecha que adorna la frente de PJ.

—Ostras, PJ, se te ha bajado el derrame al ojo. Lo tienes hinchado. Estás de portada de revista. —Esther se echa la mano a la boca para disimular la risa.

—Bueno, se hace tarde. Gracias por el café. Tened un buen día.

PJ le devuelve la taza a la militar, visiblemente enfadado. Coge la mochila y comienza a andar sin esperar a Esther. Esta, apurada, sonríe nerviosa a la cabo que, sorprendida, se queda quieta y sin saber qué decir. Tras alejarse varios metros, PJ se detiene y se vuelve para esperar a su compañera.

—Perdonadle. Lo que ha contado es cierto. Pero no es eso lo que le hace estar así. Un tipo se nos presentó hace dos días y desde entonces nos están sucediendo cosas extrañas.

—¿Os ha hecho algo?

—Directamente, no. Pero no nos da buena espina. En realidad, salimos antes para no encontrarnos con él. Se supone que ahora mismo está por la zona.

—¿Tenéis una foto de ese hombre, por casualidad? —pregunta la militar.

—No. Le hice una de espaldas pero me obligó a borrarla. Es alto, muy gordo y de piel morena. Apenas tiene pelo y la barba la tiene muy poblada y canosa. Lo acompaña un chucho grande. A él le llaman Toro, y el perro, Piraña. ¿Les suena de algo?

Gema se vuelve hacia su compañero, y tras hablar algo por lo bajo, deja su taza de café.

—No tenemos noticias de ningún tipo con esa descripción, pero sí que os pediría que andéis con cuidado. Y sobre todo, no os fieis de nadie. Durante el Camino siempre hay gente que trata de aprovecharse de los peregrinos. Venga, no os entretengo más que tienes a tu compañero esperando con cara de pocos amigos.

—Pues muchas gracias, de verdad. Pasad un buen día.

Esther devuelve su taza y, tras recoger su mochila, se reúne con PJ que tirita de frío. No le dice nada, y ambos comienzan a caminar hacia el camino de tierra. PJ enciende su linterna, pero apenas tiene visibilidad.

Tras andar media hora, el chico detiene la marcha. Deja caer su mochila y se sienta encima de ella. Esther no entiende lo que hace y se agacha junto a él.

—¿Qué pasa? ¿Te duele la rodilla?

—No, por suerte. Pero no veo nada. Esta linterna es una mierda y tú perdiste la tuya en el albergue de Vega. Esperemos a que salga el sol, porque al final acabaremos despeñados por un barranco.

Suena el móvil de Esther. Son las siete de la mañana, y tras mirar la pantalla comprueba que quien llama es Adán. Extrañada, lo coge.

—¡Adán! Qué madrugador. ¿Ya estáis andando?

—¡Qué va! Escúchame: habíamos quedado a las siete de la mañana en la salida del albergue, pero aquí no hay nadie. ¿Estáis con Quique, Begoña y Rubén?

—No. Estamos PJ y yo solos. ¿No habéis dormido juntos en el albergue?

—Esta noche Pepe y yo decidimos dormir solos en nuestra tienda de campaña, a las afueras del lugar. Necesitábamos estar solos, ya me entiendes, *shosho.* —Esther sonríe al otro lado—. El caso es que habíamos quedado a las siete aquí con el Toro ese, pero nadie aparece. Estamos preocupados porque tampoco dan señal sus teléfonos.

—Pues eso sí que es raro. Nosotros estamos a una media hora de las tiendas de los militares. Te voy a pasar por WhatsApp mi ubicación. Reuniros con nosotros. No tardéis, que hace frío y no quiero estar parada.

Adán y Pepe se ponen en marcha tras guiarse con el GPS del móvil. Ambos desaparecen en la oscuridad, solo rota por el haz de la linterna de Pepe. Tras adentrarse en el bosque, comienzan a escuchar ruidos lejanos. Parecen lamentos. Los dos se asustan y aceleran el paso, tratando de seguir la señal que Esther les ha lanzado. No están solos.

Rubén sangra en abundancia por el cuello. Una dentellada le ha dejado al aire todos los músculos y se le ve parte de la clavícula. Da espasmos de dolor, pero aún es consciente de lo que ocurre. A su lado, Quique permanece inerte sobre la hierba. Tiene los ojos abiertos mirando al infinito. Ya no tiene vida. Tiene el estómago completamente desgarrado y varios órganos se hacen visibles. La carnicería es dantesca.

Junto a él, Toro está arrodillado metiendo en un viejo zurrón de cuero varios restos de Quique, aún sangrantes. Arroja un par de trozos a su perro, que come con ansia. Tras ellos, varios lobos permanecen sentados contemplando la escena con los hocicos ensangrentados. Se relamen ante semejante panorama. Toro también le pega un buen bocado a lo que parece ser el hígado del pobre desgraciado.

Rubén, a pesar de estar agonizando, observa horrorizado lo que está aconteciendo a su lado. Toro le dedica una roja sonrisa, y se le acerca. El móvil del gaditano vibra dentro de su pantalón. Se acerca al destrozado cuello del hombre y sorbe la sangre que sale con los últimos latidos del corazón de Rubén. Le cae por la comisura de los labios, y trata de relamerse en vano. Coge el teléfono y contesta.

—¿Rubén? Ya era hora, joder. Quique y Begoña no dan señal. ¿Dónde coño estáis? —Adán levanta la voz, preocupado.

—Calma, muchacho. Tu amigo no creo que esté en condiciones de contestar, la verdad. Y el otro, menos. Están algo indispuestos.

—¿Toro? ¿Estás con ellos? ¡Dime qué ha pasado!

—Digamos que era cierto que no os teníais que fiar de mí. Y tus amigos ahora sirven de desayuno a mis bestias. —El hombretón suelta una risotada mientras salpica de sangre la cara ya sin vida de Rubén.

—¿¡Pero qué has hecho!? ¡Voy a llamar a la Guardia Civil! —grita Adán, desesperado.

—Llama. Ellos solo encontrarán dos cuerpos medio devorados por los lobos. Y a ti no te dará tiempo a contarles nada más, porque mis amigos ya están acechándote. ¡Ah! La zorra de tu amiga ha logrado escapar. Pero pronto le darán caza.

Adán baja el móvil y trata de mirar nervioso a su alrededor. Pepe lo ha escuchado todo y también permanece alerta. No ven ni oyen nada, pero el terror los invade a los dos.

—¡Hijo de puta! ¡Estás loco de remate! ¡Juro que iremos a por ti como les haya pasado algo a nuestros amigos!

Toro ríe y cuelga el teléfono. A continuación, lo revienta contra una roca. Mira de reojo a los lobos, que están ensañando sus dientes desafiantes. Con un gesto de su cabeza, los animales se abalanzan sobre los cuerpos de los gaditanos y comienzan a devorarlos.

A escasos trescientos metros de allí, Begoña corre desesperada sin apenas ver por dónde va. Tiene un buen desgarro en el brazo derecho y ha perdido su mochila. Las lágrimas apenas le permiten ver, pero no puede parar. Un gruñido muy cercano le hace soltar un grito de terror. No quiere mirar atrás, pero las fuerzas y el dolor del brazo le hacen detener su marcha. Se agacha en unos matorrales y trata de calmar su agitada respiración, mezcla de cansancio y miedo. Se palpa el pantalón, pero comprueba que no tiene el móvil. Maldice por lo bajo.

Ya ha amanecido y por fin puede ver lo que tiene su alrededor. El sol acaba de salvarle la vida. Unas voces se escuchan de fondo y el miedo atenaza a la chica. Observa con alivio que se trata de un grupo de peregrinos madrugadores. Los deja pasar tratando de disimular su estado y se incorpora; no se fía de nadie. Comienza a caminar tras ellos evitando mostrar sus heridas. Al cabo de unos minutos, un rostro le resulta familiar. Está viendo a PJ junto a Esther, parados a un lado del camino. Corre hacia ellos como alma que lleva el diablo.

—¿Begoña? ¿Eres tú? —PJ mira a la gaditana con gesto de sorpresa—. Pero ¿qué te ha pasado?

—¡Necesito ayuda! ¡El hijo de puta del gordo ese nos ha atacado al poco de salir del albergue! —Begoña está muy alterada.

—Ven. Siéntate y trata de calmarte. Cuéntanos qué ha pasado. —Esther la abraza para tratar de tranquilizarla.

—Salimos un poco antes de la hora. Se supone que habíamos quedado a las siete con Toro, pero por la noche decidimos no seguir con él. No nos gustaba. El caso es que una vez nos adentramos en el monte, apareció de la nada y unos lobos se abalanzaron contra nosotros. Yo logré escapar, aunque uno de ellos me mordió en el brazo. No sé nada de Quique ni de Rubén. He perdido mi mochila, ya que el lobo se quedó enganchado a ella. Creo que me he salvado por eso.

—Estoy alucinando. Adán nos ha llamado hace un rato y viene hacia aquí junto a Pepe. ¿Y me dices que Toro ha aparecido con los lobos?

—Tal cual. Era como si estuviesen a sus órdenes. Lo último que escuché fueron los gritos de Rubén. ¿Tenéis algo para la herida? El brazo me arde.

—Solo tenemos agua. Enséñame qué te ha hecho, que al menos la limpiaremos.

Begoña descubre el brazo. El desgarro no tiene buena pinta y la cara de asco de Esther así lo certifica. Begoña no quiere mirar, y tiembla como un flan. Esther le echa el agua y, con una camiseta limpia que lleva en la mochila, trata de limpiar los restos de tierra. Begoña resopla ante el escozor que está sintiendo. Rechina los dientes mientras deja escapar unas lágrimas.

—Lo siento mucho. No tengo nada más. Debemos buscar ayuda, porque esta herida requiere puntos y desinfección.

—Sí, lo entiendo. Vamos a esperar a Adán, porque tiene un…

Antes de que pueda terminar la frase, un enorme lobo aparece de la nada y muerde el brazo de Begoña. Con una increíble fuerza, arrastra a la chica hacia la maleza sin que los otros puedan hacer nada. Esther grita horrorizada mientras PJ se queda paralizado.

Los alaridos de Begoña retumban en el bosque hasta que cesan por completo. PJ y Esther corren en sentido contrario a su ruta, hacia las tiendas de campaña de los militares. Antes de llegar, comprueban a lo lejos que Adán y Pepe se aproximan a ellos. Esther silva, desesperada.

—¡Corred si no queréis acabar como carne picada!

13

Lo que antes fuera una escasa media hora, ahora resulta una eternidad. El campamento comienza a verse a los lejos y los cuatro corren todo lo rápido que pueden. El peso de las mochilas les impide avanzar con más rapidez y Esther comienza a quedarse rezagada. Tropieza con una raíz que sale del suelo y cae de bruces en la tierra del camino. PJ se detiene y la ayuda a levantarse. Los demás no reparan en ella.

Por fin llegan, pero lo que encuentran los deja de piedra: la lona de la tienda donde durmieron Esther y PJ permanece desmontada y tendida sobre la hierba. Ha sido arrancada de sus anclajes y presenta un buen desgarro en su parte central. El puesto militar donde los invitaron a un café permanece intacto, pero no se ve a nadie. Un sospechoso reguero de sangre se adentra en la destrozada tela de la tienda.

Adán mira histérico a su alrededor. Se siente totalmente vulnerable en un claro tan grande como ofrece el monte. Pepe le da la mano, tratando de tranquilizarlo, aunque apenas consigue que deje de temblar.

—¡Dios mío! —Esther acaba de comprobar el destrozo que tiene delante.

—Nos buscaban a nosotros —comenta PJ con gesto serio.

—¿Qué estás diciendo? ¿Cómo sabes eso?

—Ayer nos acompañó hasta este lugar; incluso él mismo nos inscribió en la lista para que pudiésemos dormir aquí. No sé qué pretende, pero desde luego nos tiene donde quiere. —PJ no le quita ojo a la sangre que salpica toda la tienda.

—¡Vámonos de aquí, por favor! —Adán no puede controlar su miedo.

PJ, con sangre fría, se acerca a los restos de la tienda militar. Se agacha y retira la lona con cuidado. Se tapa la boca con la mano ante lo que contemplan sus ojos: el militar que acompañaba a la cabo Barbero yace muerto con media cara arrancada. No se ve a nadie más. Con cuidado y tratando de no vomitar, coge el arma del pobre desgraciado y desabrocha el cinturón multiusos que lleva el cadáver. Varios cargadores así como un enorme machete lo completan. A su lado, un *walkie* con una luz roja no para de emitir una señal. PJ se percata de que numerosas pisadas de lobo adornan el lugar. Se cuelga el arma a la espalda, así como el cinturón. Coge el *walkie* y aprieta el botón para hablar.

—¿Hola? ¿Alguien me escucha?

Silencio. Esther permanece en una tensa espera mientras Pepe y Adán sollozan, algo más retirados. El *walkie* de PJ emite una interferencia y, por fin, alguien contesta al otro lado.

—¿Manu? ¿Eres tú? —responde una voz femenina. Por su tono, se la nota angustiada.

—No. Me temo que el dueño de esta radio está muerto. Me llamo David y acabamos de ser atacados por unos lobos. Hemos regresado al campamento y todo está destrozado. ¿Con quién hablo?

—Me llamo Gema, y también soy militar. Estoy escondida en el monte en una abertura que hay en las rocas. A nosotros también nos han atacado. He logrado abatir a uno de ellos, pero por desgracia, mi compañero no lo ha logrado. ¡Salid de ahí, ya! Eran muchos.

—Muchas gracias por avisarnos. Si puedes, sigue en contacto con nosotros. Nos marchamos.

PJ corta la comunicación y echa un vistazo a su alrededor. Comprueba que tras un matorral está el animal tendido. Se acerca con cuidado, pero enseguida comprueba que aún respira. Tiene varios impactos de bala en el lomo y en las patas traseras. Se sorprende por lo grande que es. El lobo se percata de su presencia y le enseña los dientes en vano: no puede moverse. PJ saca el machete del cinto y, con decisión, lo hunde en la sien del animal, el cual, emitiendo un ligero ronquido, fallece.

—Tenemos que largarnos de aquí. Esos animales nos están cazando y estamos en su terreno. Al menos tenemos un arma para defendernos.

—Pero ¿tú sabes manejar ese trasto? —pregunta Adán con voz temblorosa.

—No tengo la menor idea. Pero apuntaré a todo lo que se mueva y que sea lo que Dios quiera.

Salen del claro y vuelven a seguir el camino que marcan las flechas. Tienen unas horas por delante hasta llegar a Sarria, por lo que aceleran el paso para tratar de ganar algo de tiempo. El silencio del bosque los inquieta. Se sienten indefensos ante semejante amenaza.

PJ mira nervioso su móvil. Hace tiempo que perdió la cobertura y los datos no llegan hasta donde se encuentra. El *walkie* sigue emitiendo la luz roja, pero no se ha vuelto a comunicar nadie con ellos. Un grupo de unas veinte personas los adelanta. Parecen ajenos a lo que ha sucedido por la mañana, ya que caminan charlando entre ellos como si nada pasara.

—Si os parece bien, creo que deberíamos unirnos a ellos. Son bastantes y no creo que estén enterados de nada —comenta PJ a sus compañeros.

—Me parece buena idea. —Esther acelera el paso, animada por las palabras de PJ.

Tras varios minutos, al fin los alcanzan. Llevan un buen ritmo y se nota que son un grupo experimentado. El equipamiento que llevan es muy profesional, y no les falta detalle. Su presencia no pasa desapercibida y uno de ellos se vuelve y les sonríe. Parece ser que son bien recibidos.

—¡Hola! Encantado de compartir kilómetros con vosotros —los saluda un hombre joven.

—Gracias. Nos vendrá bien un grupo como el vuestro, ya que hace tiempo que tratamos de seguir un ritmo y no somos capaces. Procuraremos no molestaros. —Esther sonríe al chico, que le devuelve la sonrisa.

La joven mira a PJ y le hace un gesto con la cabeza para que disimule el arma del militar. Es bastante grande y apenas puede esconderla, por lo que se queda algo rezagado del grupo para no levantar sospechas. Su rodilla se resiente ante la velocidad que llevan sus nuevos compañeros, pero sabe que tiene que aguantar si quieren llegar al siguiente pueblo para conseguir un transporte y salir de allí.

Suena el *walkie.*

—¿Hola? ¿Estáis ahí? —Gema se muestra nerviosa.

—Sí. Estamos caminando en dirección Sarria. Nos hemos unido a un grupo grande de peregrinos y parece que ha pasado el peligro. ¿Dónde estás?

—Estáis haciendo una tontería; deberíais regresar al albergue de O Cebreiro y refugiaros allí. Caminar varias horas con esas bestias en el bosque es una auténtica locura. Yo no logro contactar con mis compañeros de la Base y no tengo cobertura. En cuanto pueda, iré también hacia allí para tratar de conseguir un teléfono y pedir ayuda. Si os parece bien, allí nos veremos. Cierro comunicación, que no tengo apenas batería. Mucha suerte.

PJ guarda el *walkie* en el bolsillo y avanza hasta llegar a Esther, que camina en silencio y sumergida en sus pensamientos. Apenas repara en la presencia del chico. Adán se acerca a ellos y rodea con el brazo el cuello de PJ en un gesto cariñoso.

—Esperad un momento. Acabo de hablar con la militar y me ha dicho algo en lo que tiene razón. Debemos regresar al albergue de donde hemos salido. Si seguimos caminando hasta Sarria, corremos el riesgo de caer en una emboscada. Tened en cuenta que pisamos su hábitat, y no podremos defendernos si deciden atacarnos.

—Pero, PJ, si nos mantenemos unidos a este grupo no creo que nos pase nada. Somos muchos. —Esther tiene ganas de seguir.

—Pues yo me sentiré más protegido dentro de una casa con su puerta bien cerrada. Desde allí pediremos ayuda y seguro que vendrán a por nosotros. No sé qué haréis, pero yo me vuelvo. No me arriesgo —sentencia PJ con gesto serio.

El numeroso grupo cada vez se aleja más de ellos ante el paso lento que están teniendo. Está claro que no los van a esperar. PJ se detiene del todo y, tras beber un poco de agua, da media vuelta y sin mirar a sus compañeros comienza a caminar en solitario en dirección contraria. Esther, tras unos segundos, lo sigue torciendo el gesto. Adán y Pepe dudan de si se unen definitivamente al grupo grande, pero finalmente siguen a PJ hasta el albergue de O 'Cebreiro.

El monte se muestra tranquilo y en aparente calma. Se escucha el trinar de los pájaros, así como las hojas de los árboles mecidas por una fresca brisa. El olor a hierba mojada por el rocío de la mañana es intenso y agradable. Todo parece tapizado de un verde vivo, fruto del clima del lugar. A lo lejos, comienza a distinguirse el albergue donde llegaron desde Vega de Valcarce. PJ acelera el paso ansioso por llegar y poder contárselo todo al dueño de la casa. Cruza la puerta y deja caer su pesada mochila en el suelo. Mira a todas partes, pero no ve a nadie.

Tras él, entran los demás. Todo se halla sumido en un inquietante silencio. El mostrador donde el día anterior les atendió el jefe del lugar permanece vacío. Los folletos turísticos están tal cual, ordenados en pequeños montones encima de la mesa. Un timbre de esos antiguos está situado frente al ordenador. PJ lo aprieta varias veces, nervioso. Aprovecha para auparse y mirar por detrás de la mesa.

No aparece nadie. Esther mira su móvil y comprueba que sigue sin cobertura. El instinto la hace ir hacia la puerta para tratar de bloquearla. Al cerrar, una mano lo impide provocando que la muchacha suelte un grito. PJ trata de sacar el arma de debajo de su abrigo, pero los nervios hacen que se le enganche en la ropa.

—¡Tranquila, chica! Soy Gema, la cabo del ejército. Casi me dejas manca.

Esther trata de controlar el desbocado latir de su corazón: ha sufrido un buen susto. PJ, mientras, trata de ocultar el arma, pero sus intentos son en vano. La culata saliendo por debajo del abrigo lo deja en evidencia. Su gesto no pasa inadvertido para Gema, que se le acerca con gesto serio.

—Eso no deberías tenerlo tú. Primero porque es peligroso para ti y para los que están contigo, y segundo porque pertenece a mi compañero.

—Lo sé. Pero estaba tirada junto a su cuerpo y esas bestias están por ahí. Pensé que nos sería de utilidad. —PJ trata de desenganchar el fusil de su abrigo para devolvérselo a Gema.

Esta lo coge y, tras echarle una ojeada, apunta a la cabeza de PJ y aprieta el gatillo. Un click seco suena mientras PJ se queda mirando con la boca abierta y sin poder reaccionar. Se le ha secado la boca.

—No habrías matado a muchos lobos sin el fusil cargado, campeón. Por eso mi compañero está muerto, y yo viva. Mira que le dije veces que mantuviera su arma lista, pero él siempre decía que para qué. Que para vigilar a unos cuantos peregrinos no hacía falta. Y mira ahora. —Por un momento, abandona su aparente dureza para bajar el rostro al acordarse de su compañero caído.

—Acabas de dejarme helado. Pensé que se te había ido la cabeza. —PJ esboza una risa nerviosa.

—La cabeza la tengo perdida desde la adolescencia, chaval. Pero todavía mantengo la suficiente cordura como para distinguir el bien del mal. A partir de ahora, yo llevaré este trasto, ¿estamos?

Todos asienten. El silencio del lugar se hace incómodo, y Gema se percata de ello. Amartilla el fusil y comienza a recorrer el pasillo principal del albergue, que da a las habitaciones. Camina despacio y atenta a cualquier señal que pueda ser peligrosa. Tras comprobar una a una cada estancia de la casa, regresa junto a los demás con un gesto de incredulidad. Allí no hay nadie.

—No entiendo nada. El albergue está vacío. Aquí están ocurriendo cosas que no llego a explicarme, y necesitamos ayuda urgente. Por favor, id a una de las habitaciones y quedaos allí hasta que consiga traer a alguien que os saque de aquí. Creo que será lo más seguro para vosotros —comenta sin dejar de mirar la puerta de entrada.

—¿Vas a salir ahí fuera, tú sola? —pregunta PJ, nervioso.

—¿Se te ocurre alguna idea mejor? No funcionan los móviles, mi *walkie* ha muerto y no tengo manera de cargarlo. Pensé que aquí podríamos hacer alguna llamada, pero no tienen teléfono fijo. Trataré de alcanzar el puesto de la Cruz Roja que hay en el valle. Ellas también tienen radio.

—Eso en el caso de que sigan con vida. Porque, desde luego, algo grave está pasando ahí fuera. —Esther se muestra seria.

Gema calla ante el comentario de la chica. La esperanza que tenía depositada en su plan se desvanece por momentos. Extrae el cargador de su fusil y comprueba la munición restante. Se acerca a PJ y le coge los cargadores que sobresalen de su mochila. Se lo guarda todo en el cinto y se ajusta bien la chaqueta verde de camuflaje. Los mira de nuevo a los cuatro, que la observan con semblante serio.

—No os preocupéis. Probablemente hayan evacuado la zona por lo que ha ocurrido. Mis compañeros del SEPRONA estarán ocupándose de todo. Hacedme caso y meteos en la habitación. Os prometo que tardaré poco en llegar. Eso sí, cerrad la puerta en cuanto me vaya.

—¿Y cómo sabremos que eres tú, si regresas? —pregunta Adán.

—Daré tres golpes secos. Volveré pronto, os lo prometo.

Gema sale del albergue y comienza a correr a paso ligero carretera abajo. No parece tenerle miedo a nada. PJ cierra la puerta y corre un grueso cerrojo metálico que retumba en la estancia. Se vuelve hacia los demás, que lo miran asustados.

—Rezad lo que sepáis.

14

Gema mantiene un trote constante, como si estuviese entrenando una mañana cualquiera antes de acudir al cuartel. El sol comienza a molestar y el uniforme le provoca un calor incómodo. No aparta la mirada de los márgenes de la carretera, donde la maleza lo inunda todo.

El sonido de varias aves alzando el vuelto asustan a la militar, que detiene en seco su carrera para apuntar con el fusil en la dirección del ruido. Maldice por lo bajo al verse ridícula. Traga saliva y se seca el sudor de la frente. Se desabrocha uno de los botones de la camisa de camuflaje y decide proseguir la marcha. Ningún peregrino le sale al paso. Cada vez está más tensa.

La frondosidad de la vegetación que la rodea la pone nerviosa. Si no estuviera ocurriendo nada, estaría disfrutando. La vista es espectacular, digna de una postal. El sol se cuela entre las ramas de los árboles dejando entrever las montañas verdes que rodean el puerto. Un conejo se asoma tímido entre los arbustos, pero enseguida desaparece al ver a la mujer.

Tras varios minutos descendiendo, al fin puede distinguir el puesto de la Cruz Roja a lo lejos. Frena la marcha para comenzar a andar más despacio. Algo de lo que está viendo no le cuadra y decide asegurarse. Según avanza, puede distinguir con claridad que allí tampoco hay nadie. Duda si seguir o volver como alma que lleva el diablo al albergue. Su entrenamiento y vocación la obligan a continuar hasta el puesto, que permanece intacto. Parece que sus ocupantes hayan ido un momento a un recado. Las botellas de agua están alineadas en un perfecto orden, así como el botiquín.

Gema gira sobre sí misma tratando de tener controlado el perímetro, pero la tranquilidad que reina en el ambiente es sobrecogedora. Es evidente que hasta hace poco allí había gente. Restos de comida en la papelera y botellas vacías así lo atestiguan. Coge varias botellas de agua y se las mete en los numerosos bolsillos que adornan su uniforme. Decide volver, pero algo llama su atención:

A lo lejos, una persona se aproxima en un lento caminar. La acompaña un perro. Gema prefiere ocultarse metiéndose en el margen de la carretera. No se fía, y los nervios comienzan a apoderarse de ella. En un momento, se ve rodeada de pequeñas ramas y hojas con el rocío mañanero impregnándole la ropa. El agradable olor se cuela por sus fosas nasales y por un momento lo disfruta. La realidad la hace volver a centrarse en la carretera: según avanza el hombre, distingue con claridad que se trata de una persona mayor. Viste un pantalón de pana marrón y un abrigo negro. Una especie de boina de franela cubre su cabeza, y se apoya en un largo palo. El perro es bastante grande. Cuando ya ha rebasado su posición, Gema decide salir de su escondite.

—Disculpe, señor. ¿Puedo hacerle un par de preguntas? —Trata de mantener un gesto serio mientras deja ver su arma de forma deliberada.

El hombre se da media vuelta y, tras darle un repaso de arriba abajo a la chica, le sonríe con gesto amable. Observa sin disimular el fusil de Gema. Se quita la boina en señal de cortesía.

—Buenos días, cabo. Bonita mañana, ¿verdad? Dígame, ¿qué necesita?

Gema se sorprende. Mira de reojo su rango dibujado en las mangas, y comprende que el señor conoce el mundo militar

—¿Se ha cruzado usted con algún peregrino al venir hacia aquí? ¿Está haciendo el Camino de Santiago?

—Oh, no. No estoy para esos trotes, niña. Soy de la zona, aunque vengo de Villafranca del Bierzo, un pueblecito de León.

—Lo conozco. ¿Y qué le trae por estos parajes? Está algo retirado de su casa.

—Pues esa es una buena pregunta. Necesito llegar hasta lo alto del puerto, en O 'Cebreiro. No me vendría mal algo de compañía hasta allá arriba. Y si es la de un militar, perfecto. No son seguros los caminos en estos tiempos, no señor.

—¿Por qué lo dice? —Ambos comienzan a caminar—. ¿Ha visto algo raro? No me ha contestado a si ha visto a más peregrinos.

—Los vi nada más salir de casa. Muchos. Pero según he ido avanzando los he dejado de ver. Llevo un par de horas sin cruzarme con ningún alma.

—Es tan extraño... ¿Se ha enterado de lo que ha pasado? Lo de los lobos.

—Sé que han atacado a la dueña del albergue de Vega. Y que andan nerviosos, fuera de sus límites naturales.

—¿Los ha visto?

—Sí. Y ellos a mí. No dejan de acecharme desde hace rato. De hecho, están ahí, aunque no se les vea.

Gema levanta el arma en dirección al monte. Las palabras del hombre la han puesto más nerviosa si cabe, aunque trata de no perder la calma. No logra ver nada.

—Tranquila, muchacha. No nos atacarán. No mientras estés conmigo. —El hombre sonríe, confiado.

—¿Cómo está tan seguro? Esta mañana han destrozado el campamento y han matado a mi compañero. Ha sido horrible.

—Eso solo ha sido el comienzo. Ya está aquí, por lo que veo.

—¿El comienzo de qué? ¿De qué me habla? Si sabe algo de lo que está pasando, creo que debería decírmelo. Soy lo más parecido a la autoridad que hay en kilómetros a la redonda, y tengo un pequeño grupo de peregrinos en el albergue muertos de miedo.

—No es a los lobos a los que debéis temer, sino a aquel que los lidera. Al macho alfa.

—No sé de qué me está hablando. Por cierto, mi nombre es Gema.

—Disculpe mi descortesía. Soy Vicente, Vicente Gil. En cuanto lleguemos a lo alto del puerto le explicaré mejor. Allí me reencontraré con los muchachos.

Gema mira a Vicente con cara de no entender nada. Prefiere dejar la conversación para seguir atenta a los alrededores. El perro que lo acompaña tiene cara de pocos amigos y no se separa de él ni un instante. A pesar del calor que reina en Galicia, el hombre permanece con su abrigo puesto como si nada.

Tras varios minutos caminando en un incómodo silencio, por fin llegan al albergue. El perro se detiene en seco y se sitúa delante de su amo manteniendo una pose defensiva. Gruñe mirando a uno de los márgenes de la carretera. Vicente gira la cabeza, y es entonces cuando los ve.

Allí están. Cuatro impresionantes lobos se dejan ver. Enseñan sus dientes, desafiantes, pero no se mueven del sitio. Gema les apunta con el fusil, histérica. Vicente alza el brazo y baja el arma de la militar. Su gesto es inusualmente tranquilo.

—Tranquila, no dispares. Te repito que no nos harán nada.

—¿Cómo qué no? ¡Son animales salvajes!

—No pueden. Es difícil de explicar y de entender. Ahora, mantén la calma y avancemos despacio hacia el albergue. Allí hablaremos largo y tendido sobre lo que está pasando.

Gema obedece. Para ella es una locura, pero una extraña sensación le recorre el cuerpo. Es como si confiara en las palabras de Vicente sin conocerlo de nada. Se siente vulnerable, y eso la desconcierta.

Llegan a la puerta y Gema golpea con los nudillos tres veces. Nadie responde a su llamada. Insiste y, tras unos segundos de tensa espera, se escucha moverse el pesado cerrojo metálico. La puerta se abre y PJ se asoma con sumo cuidado. En cuanto reconoce el rostro de Gema se tranquiliza y abre del todo. Enseguida se percata de la presencia de su acompañante y mira a la soldado, extrañado. Ella asiente con la cabeza tratando de darle confianza. Ambos pasan y PJ vuelve a cerrar el portón. Viene Esther junto a Adán y Pepe.

La chica mira a Vicente y enseguida lo reconoce. Mira a PJ, pero este no parece entender el gesto de su compañera. Se acerca al hombre y acaricia a Yester.

—¡Vicente! ¡Qué alegría verte por aquí! —La muchacha lo abraza con efusividad—. Créeme que de todas las personas que conozco, tú eres la más bienvenida a este lugar.

—No exageres, chiquilla. Me imaginaba que tendríais problemas, y aquí estoy.

—Un momento, ¿os conocéis? —Gema no entiende nada.

—PJ y yo pasamos una noche en su cabaña, hará un par de días si no recuerdo mal. Allí vivimos una situación tensa. Fue la primera vez que vimos a esas bestias.

—Así es. Ya os estaban vigilando, tal y como me temía. Supongo que ya le habréis conocido, ¿verdad? —Vicente mira de reojo a PJ, que guarda silencio.

—¿Conocer a quién? —Esther coge el abrigo del viejo y le ofrece asiento.

—A su líder. Hace tiempo que la vieja del albergue de Los Lobos me avisó de su presencia por estas tierras.

—¿Se refiere a Toro?

—Así es como se hace llamar en esta época. Pero ha tenido varios nombres a lo largo de los tiempos. Sé que habréis notado cómo habla, las cosas que hace y esa mirada. La mirada es precisamente la que debéis evitar.

—Vamos a ver: ¿habláis del tipo que me comentasteis al salir de la tienda, esta mañana? —Gema se muestra intrigada.

—Sí, el mismo. Lleva días molestando, y desde que apareció todo se ha ido a la mierda. No hemos vuelto a verle desde anoche, pero esta mañana nos llamó diciendo cosas horribles que no sabemos sin son verdad. ¿Quién es? ¿Un delincuente o algo así?

—Esther, no parará hasta acabar lo que ha empezado. Tiene la capacidad de adueñarse de las bestias del bosque y anular su voluntad. En el Camino de Santiago ha optado por los lobos.

—Vicente, lo que nos estás contando no tiene mucho sentido. Tú puedes domar a un animal salvaje si desde cachorro lo educas y lo amansas. Pero llegar a un lugar y que todos te obedezcan no tiene ninguna lógica. Al menos, para mí. —Gema no deja de pasear de un lado a otro, nerviosa.

—Es normal que no lo entiendas. Es algo que se escapa de nuestro raciocinio. Solo los más viejos del lugar recordamos

algo parecido, aunque éramos unos críos. La vieja que conocisteis en Villafranca del Bierzo sabe bien de lo que hablo. Lo
tuvimos cara a cara y sobrevivimos para contarlo. Mi padre no
corrió la misma suerte.

—Parad un momento. Vamos a sentarnos, por favor. Me
estoy mareando. —Gema toma asiento en uno de los sofás que
presiden la entrada del albergue.

Todos la imitan menos PJ, que permanece en pie junto a
una chimenea apagada y llena de hollín. A su lado descansa
una caja de madera con varios trozos de leña y un par de hie-
rros para colocarla bien en el fuego. Frente a él está el mostrador, y varias mesas que hasta hace unas horas servían para que
los peregrinos pudieran comer. Su cara está desencajada.

—Vicente, necesitamos que nos digas qué está pasando
y, sobre todo, quién es ese hombre. —Esther no se anda con
rodeos.

—Toro no pertenece ni a este mundo ni a esta época. Puede
adoptar la forma que quiera, en especial la de cualquier bestia.
Tiene la capacidad, pues, de dominarlas a su antojo. Después
de lo que ocurrió cuando yo era un chiquillo, le investigué. En
las antiguas escrituras lo llaman Behemot, y creedme cuando
os digo que es un sanguinario. Cruel y malvado.

—Señor, le agradezco su increíble historia, pero eso no hay
quien se lo crea. Yo esto voy a tener que trasladárselo a mis
superiores, y como comprenderá, no quiero que me tomen por
loca. Espero que no se ofenda —comenta Gema, tratando de no
molestar a Vicente.

El viejo se levanta a duras penas. La edad se le nota y cada
vez le cuesta más moverse. Se acerca con parsimonia a una de
las ventanas y observa el exterior. El silencio que han provocado sus palabras solo es roto por el sonido del reloj que está
colgado sobre la chimenea. Tuerce el gesto al comprobar que
el albergue está completamente rodeado de lobos. Solo es cuestión de tiempo que su dueño les dé la orden.

—Cabo, no será necesario que les diga lo que ha visto a
sus superiores. Créame que cuanta menos gente lo sepa, mejor para todos. Él ya ha matado y seguirá haciéndolo hasta

saciarse. Lo hace de manera cíclica, y ahora ha vuelto. No le gusta dejar cabos sueltos.

—Y nosotros lo somos —rompe su silencio PJ.

—Exacto. Habéis tenido la mala suerte de topar con él. Sabéis quién es, y él se ha quedado con vuestro olor. Os avisé en mi cabaña de que no hablaseis con desconocidos, que no eran buenos tiempos.

—Estoy flipando. Mis amigos han desaparecido y probablemente estén muertos. No funciona nada en este lugar y, para colmo, la gente que hace el Camino se ha esfumado. Y ahora me contáis historias para no dormir. Lo siento, pero Pepe y yo nos marchamos. —Adán se levanta de manera repentina, mirando a su chico.

—No os vayáis, por favor. La casa está rodeada de lobos, no lo lograréis —les implora Vicente.

Adán se acerca a las ventanas pero no ve nada. Recorre la casa tratando de observar los alrededores del albergue. Nada; tan solo distingue la carretera y el monte. Se acerca a Pepe, que permanece sentado con gesto serio. Lo mira y asiente con la cabeza. Está decidido.

—Lo siento, pero ahí fuera parece todo tranquilo. Vamos a denunciar a la policía al loco ese, aquí no nos quedamos ni un minuto más. Si vemos a alguien, les diremos que estáis aquí. Esther, PJ, ha sido un placer conoceros. —Adán estrecha la mano de PJ.

Pepe se levanta y recoge su mochila. Adán hace lo propio y, tras echar una última ojeada a sus compañeros, descorre el cerrojo y abre la puerta. Gema lo acompaña y sale un momento para asegurarse de que no haya ningún lobo por la zona. Todo parece tranquilo.

Ambos comienzan a caminar y toman la carretera que baja al puerto. No se ve nada peligroso a su alrededor. Poco a poco, desaparecen ante la mirada nerviosa de Gema, que entra de nuevo en la casa y cierra a cal y canto. Vicente mantiene la cabeza agachada.

—No van a conseguirlo —susurra sin levantar la cabeza.

—¿Qué pasó cuando eras pequeño? —pregunta Esther con gesto curioso.

—Fue hace mucho, muchacha. Apenas tenía diez u once años, si no recuerdo mal. Mis padres y yo vivíamos en Villafranca junto a mis hermanos. Teníamos una finca muy hermosa a la salida del pueblo, con unos terrenos donde él plantaba todo tipo de hortalizas. Por el clima que tenemos por estas tierras, todo crecía que daba gusto. El negocio iba de muerte y nunca nos faltó de nada. Pero una noche, justo por esta época del año, apareció Él.

—¿Te refieres a Toro?

—El mismo. Por aquel entonces no se hacía llamar así. Nunca se me olvidará la primera vez que se presentó: Hazael. Tocó la puerta de mis padres con la excusa de que venía en peregrinación desde Roncesvalles, en Francia, y que le habían denegado la entrada en los albergues de la zona por estar congestionados. Mi padre era un hombre bueno, y le dejó pasar.

—Dios. No quiero ni imaginar lo que pudo suponer para vosotros. —Esther parece fascinada por las palabras del hombre.

—Aquella noche todo transcurrió con normalidad. El hombre estaba hambriento y mi madre le puso una buena olla de judías pintas recién hechas. Aquello alimentaba con tan solo olerlo. Mi madre era una gran cocinera. Un trozo de pan casero y el vino de la bodega que mi padre tenía en el cobertizo completaron el banquete de ese malnacido. El tipo era enorme, con una gran barriga y muy moreno de piel. Se notaba que había pasado mucho tiempo en la calle, ya que las cicatrices de su cara contaban una historia dura.

Vicente calla por un momento y vuelve a asomarse a la venta que tiene justo enfrente. Esta vez, lo único que ve es la vegetación que abunda en la zona. Le duele recordar y se le nota en la cara. Le tiemblan los labios, pero trata de aparentar entereza. Su presencia allí tiene que tranquilizar a los muchachos, y es consciente de ello. Carraspea profundamente y se gira de nuevo hacia ellos. Se vuelve a sentar.

—Durmió en el cobertizo. Mi padre le preparó una improvisada cama con varios almohadones que teníamos almacenados de cuando esquilamos a las ovejas. Aún recuerdo los ronquidos que salían de aquel ser. A la mañana siguiente, la puerta del cobertizo estaba abierta. El tipo había desaparecido. Sin despedirse.

—¿Nunca más lo volviste a ver? —PJ por fin rompe su silencio.

—Por desgracia, sí. Mi padre salió aquella mañana como siempre a por el pan, pero no regresó. Mis hermanos y yo lo buscamos por todo el pueblo, pero no lo vimos. Las horas pasaban y no se sabía nada. Los vecinos organizaron una batida por el monte para ver si daban con él. Era raro que no regresase a casa ya que era muy hogareño, y muy de costumbres. Algo le había pasado, seguro. —Vicente respira profundamente y traga saliva. Le está costando horrores contar aquella experiencia—. En los límites de la montaña y cerca de unas cuevas, mis amigos y yo vimos restos de sangre. No sabíamos si eran de algún animal, pero las gotas entraban en una de las cuevas. Allí volvimos a verlo.

—¿Tu padre estaba allí? —pregunta Gema.

—Estaban los dos. Hazael sujetaba la cabeza de mi padre entre sus piernas mientras masticaba su carne aún caliente. La carnicería que vi jamás podré olvidarla. A una de las amigas que me acompañaba ese día ya la conocisteis el otro día: la vieja del albergue de Los Lobos.

—Dios santo. ¿Y no avisasteis a la policía? —Gema tiene la cara descompuesta.

—Oh, claro que sí. Corrimos como alma que lleva el diablo hacia el pueblo. Nada más llegar contamos lo que vimos, y todos los vecinos subieron armados con lo que tenían a mano. Cuando llegaron, solo quedaban los restos mutilados de mi padre. De Hazael, ni las huellas. Jamás volvió a aparecer por aquí. Bueno, hasta ahora.

—Lo siento mucho, Vicente. Debió ser horrible aquello que viviste. —Esther pasa su mano por la arrugada cara del hombre.

—Lo peor fue volver a casa y enfrentarme a mi madre. Ella nunca lo superó, y tras varios años sumida en una profunda depresión, una mañana decidió saltar desde lo alto de la montaña. Eran un matrimonio de los que se amaban de verdad, de los de estar siempre juntos. A pesar de la época, mi padre era un hombre moderno y siempre ayudó en todo. Perdonadme que no siga. Me duele el corazón al revivir esa época. Pero lo que necesitabais saber, ya está dicho.

—No te preocupes. Aunque el tiempo cicatriza las heridas, las del corazón solo las alivia por momentos. Eso nunca se olvida.

—Esther, no sé tú, pero tras escuchar todo esto cada vez tengo más claro que de aquí no saldremos con vida. Lo que no entiendo, Vicente, es cómo sabías que nos encontrarías aquí. —PJ está cada vez más serio.

—Supe de su presencia en estos bosques hace poco. La vieja de Los Lobos me alertó. Es capaz de ver cosas más allá de las personas. Se llamaba Ascensión. Chon, la llamamos los íntimos. Una mañana se acercó a mi cabaña para darme una de sus piedras protectoras, y me pidió que no saliese más allá de los alrededores. Él había vuelto, y se estaba dejando ver.

PJ abre los ojos, sorprendido, y se acerca a su mochila. Se agacha y, tras rebuscar unos segundos, saca la piedra que la señora del albergue le dio nada más llegar de Madrid. Camina hasta Vicente y se la muestra.

—Me la dio al pedirle cama para dormir. Me dijo que iba a necesitarla.

Vicente la observa y sonríe. Mira a PJ con ternura y le cierra la mano para que la guarde. Este aprieta el puño sin entender nada, y se la guarda en el bolsillo. La cara de Gema es un poema.

—Sabía lo que os iba a pasar. Ya os digo que ve cosas que nadie más puede. Esa piedra, muchacho, es la que os ha salvado hasta este preciso instante. La misma que me ha permitido llegar andando hasta aquí sin ser devorado por esas bestias. Chon tiene ese don desde que nació.

—Supongamos que tiene usted razón. ¿Por qué no nos largamos en busca de la civilización? Si tan protectoras son esas piedras, ahora tenemos dos. —Gema no se cree lo que acaba de decir.

—Los amuletos no son un escudo, cabo. Pueden proteger a quien los porta, pero si esa bestia decide acabar contigo, nada ni nadie podrá salvarte. Como os comenté, tras la muerte de mi padre busqué respuestas. Y las encontré.

—Lo mejor será pasar aquí la noche y pensar en algo con calma. Han sido demasiadas emociones en poco tiempo. ¿Estáis de acuerdo? —pregunta Esther.

—Es una buena idea. Y, como ya me imaginaba esto, os he traído en el zurrón algo para comer. Hoy será un día largo. Y la noche, eterna.

15

El reloj de PJ marca las tres de la madrugada. La oscuridad se ha apoderado del salón y una leve luz provocada por la luna llena se cuela entre las cortinas. Todos deciden dormir junto a la entrada para evitar males mayores. Gema y PJ traen los colchones de varias habitaciones para montar la improvisada estancia.

Esther duerme como si fuera ajena a todo lo vivido, mientras Gema hace lo mismo pero sin separarse de su fusil. Parece que forma parte de su cuerpo. Pero PJ aún mantiene los ojos abiertos. Le resulta imposible pegar ojo sabiendo que en cualquier momento Él podría aparecer y masacrarlos a todos. Tumbado boca arriba, piensa en cómo salir de esta pesadilla. El silencio que reina en el ambiente solo es roto por el aire que rebota contra la madera exterior del albergue. Eso pone más nervioso al chico.

Vicente tampoco duerme. Sentado en un butacón antiguo, mira a través de la ventana. Con la mano derecha juguetea con la piedra que su vieja amiga les ha regalado. Está incómodo y nervioso. A sus pies, Yester duerme ajeno a todo. Es consciente de que PJ no puede dormir, pero prefiere no interrumpir sus pensamientos. Algo llama la atención del viejo ermitaño: a pesar de la oscuridad de la noche, se aprecia movimiento en la maleza que rodea la casa. La figura de una persona se hace evidente. Permanece parada frente al albergue, sin moverse. Su silueta es inconfundible para el ermitaño: el Hazael que conoció hace años ha vuelto.

Tras él, varios animales comienzan a aparecer y a dispersarse por los alrededores. El viejo aprieta su piedra con todas sus fuerzas. Trata de no ser visto y procura no mover las cortinas. Toro comienza a caminar hacia la entrada del albergue, pero

Vicente besa la piedra susurrando unas palabras. El demonio se detiene como si percibiera los rezos del hombre. Retrocede unos pasos sujetándose la cabeza con una mano. Parece efectiva, la piedra de Chon. Uno de los lobos aúlla provocando que PJ se incorpore de manera repentina en la cama. Asustado, mira a Vicente, que no deja de rezar.

Se levanta y camina hacia él. Le toca el hombro, pero parece estar en trance y no se percata de la presencia del chico. PJ mira por la ventana y distingue la silueta de Toro. Trata de contener un grito y se agacha de manera instintiva. Vicente por fin repara en él, y le acaricia el pelo.

—Tranquilo, muchacho. No puede pasar de donde está. Pero nos ha localizado.

—Estoy muerto de miedo, Vicente. No creo que unas piedras puedan detenerlo.

—No lo detendrán. En algún momento lo tendremos cara a cara, y es ahí cuando deberemos estar preparados. Deberías dormir, chico. Mañana saldremos pronto en busca de ayuda, y tienes que estar fresco.

—Me está doliendo mucho la rodilla, y la herida del brazo escuece. Creo que se me está infectando.

—Te atenderán en cuanto se pueda. Él está que revienta de ira, pero por ahora estamos protegidos. Mañana no lo sé, así que descansa. Yo permaneceré alerta. Son muchas noches en vela, créeme que no me afecta.

PJ se levanta y, con cuidado, echa un último vistazo al exterior. Ve con claridad cómo la enorme figura de Toro desaparece en la oscuridad custodiada por sus lobos. Uno de ellos se detiene y vuelve la cabeza hacia la ventana. Da la sensación de que sabe que lo están observando, y emite un ligero gruñido. Acto seguido se mezcla con la negrura de la noche.

—Le siguen como si nada. Es increíble.

—Le temen igual que le temes tú. Esas bestias están sometidas por él. Créeme que no está en su naturaleza atacarnos.

—Un momento. —PJ distingue un bulto justo donde, hasta hace unos segundos, Toro permanecía en pie—. Mira ahí fuera. ¿Qué es eso?

Vicente descorre un poco la cortina y observa con atención. En efecto, lo que parece una bolsa de tela reposa en la tierra. Toro la ha dejado allí, y Vicente sabe que no ha sido por descuido.

—Sea lo que sea, será mejor que no la toques. Y mucho menos ahora. Mañana, si sigue ahí, veré de qué se trata. Vete a dormir.

PJ siente una curiosidad que no es capaz de controlar. Se va a su colchón y se tumba, pero su corazón late apresurado. Se vuelve hacia el hombre, que sigue sentado en el mismo sitio.

—Vicente, si no te importa, prefiero irme a una habitación. Aquí me resulta imposible dormir.

—Claro, chico. ¡Será por habitaciones! —Vicente suelta una risotada ahogada por un ataque de tos. Se hace a sí mismo un gesto de guardar silencio al darse cuenta del ruido que ha provocado.

PJ coge su almohada y la manta y desaparece por el pasillo. Se va al cuarto más alejado del salón. Su corazón sigue latiendo a cien por hora, y no termina de entender por qué. Se recuesta boca arriba en el colchón, pero sus ojos se clavan en el techo. Su cabeza no deja de pensar en la bolsa que Toro ha dejado ahí fuera. Necesita saber qué es. Y necesita saberlo ahora.

Se incorpora tratando de no hacer ruido, pero el viejo somier de muelles se encarga de avisar que se ha puesto en pie. Aguarda unos segundos tratando de percibir algún sonido que provenga de dentro del albergue. Todo parece tranquilo.

Se asoma a la ventana del cuarto para comprobar que no haya nadie. Mira la piedra que guarda en el bolsillo y la aprieta contra su pecho. A continuación, descorre el pestillo y, manteniendo el aliento, la abre despacio. El frío de la noche gallega le abofetea la cara. Tiembla, mezcla de la gélida temperatura y el miedo. Vuelve a mirar a los alrededores, pero no ve a nadie.

Se encarama al cerco de madera y, con agilidad, salta al otro lado. Al caer, su rodilla emite un doloroso chasquido, que él trata de soportar sin gritar. Pasa la mano por la articulación torciendo el gesto. Pero la bolsa sigue ahí, y su curiosidad puede con todo.

Cojeando, se acerca sigiloso por el borde de la casa tratando de no ser visto por Vicente. Se detiene justo bajo la venta del salón donde hasta hace solo un momento hablaba con el anciano. En el bosque todo parece tranquilo. El frío es intenso y él ha salido con lo puesto, por lo que sus dientes castañetean sin control. Da un par de pasos hasta la bolsa y estira todo lo que puede el brazo. Logra tocar la tela con la punta de los dedos, pero no es suficiente. Se aproxima un poco más y por fin lo consigue.

La arrastra hacia él y comprueba que, en efecto, se trata de un zurrón de esparto atado con una vieja cuerda. Está manchado de una sustancia negruzca y parece que pesa, pero no adivina de qué puede tratarse. Desata el nudo sin soltar la piedra de su mano. La abre.

El grito de PJ retumba en todo el monte. Dentro del zurrón, dos cabezas decapitadas lo observan con la mirada perdida. En ese preciso momento, un enorme lobo sale de la oscuridad y, lanzado una mordida al aire, se queda a escasos centímetros de la cara del muchacho, que se queda petrificado al no verlo venir. La piedra le ha vuelto a salvar. Toro se deja ver, silbándole a su bestia, que retrocede obediente.

—Sabía que no podrías evitarlo. Tus ojos hablan muy claro —sonríe de manera malvada.

Las luces del albergue se encienden. Gema abre el portón de entrada, fusil en mano. Todavía no tiene claro a quién apuntar, dada la oscuridad que reina en el ambiente. Pero la figura de Toro es evidente, y se aproxima despacio al chico. Un par de lobos se interponen en su camino, pero tan solo le muestran los dientes. El malvado personaje no deja de emitir una desagradable risa.

—Las manitas donde las pueda ver, pedazo de cabrón. —Gema no es de las que se andan con tonterías.

Toro la mira desafiante mientras acaricia a una de sus bestias, que en un acto reflejo agacha la cabeza en señal de sumisión. PJ aprovecha para retroceder todo lo que puede y situarse junto a su compañera. Esther y Vicente ya están fuera. Yester suelta un ladrido que es respondido por el gruñido de uno de los lobos. Con un quejido de miedo, se sitúa detrás de su amo, que le acaricia la cabeza para tranquilizarlo.

—Veo que has descubierto a tus amigos, niñato. Fueron tan tontos que creyeron poder esconderse de mí. Pero de mí no se libra nadie. ¿Verdad, Vicente? —Toro sonríe mirando de reojo al hombre.

—Hazael, tu tiempo aquí tiene que llegar a su fin. Ya tienes tu baño de sangre. Ya te has saciado. Vete al infierno, de donde no deberías salir. —El viejo le planta cara, dando un paso al frente.

—No me llamo así, y lo sabes. Hace mucho que estaba deseando volver. Me quedé con ganas de más aquella vez, y tu querido papá estaba tan rico que no podía perderme el sabor de su hijo —se relame.

—Vas a quedarte con las ganas. A mi padre no pude salvarlo, pero a estos chicos sí. Sabes que no puedes hacer nada. —Vicente le muestra la piedra.

Toro retrocede un paso, aunque trata de disimular el efecto que el talismán causa en él. Gira su cabeza hacia la bolsa donde yacen las cabezas de Adán y Pepe. El amuleto le está afectando más de la cuenta, y comienza a debilitarse.

—Esa cosa no va a detenerme, viejo. Dispongo de toda la eternidad para cumplir con mis deseos. Os dejo este regalo como advertencia. Las cabezas nunca me gustaron.

Da media vuelta y comienza a caminar hacia la oscuridad. Gema no se lo piensa dos veces y le dispara a la pierna. Toro se detiene, pero parece que no le ha afectado la bala. Sigue andando y recibe otro impacto. Esta vez, un agujero adorna su ancha espalda. Se gira hacia Gema y, sacando el dedo índice, le hace el gesto de negación. Esta vez desaparece definitivamente, seguido por sus lobos.

Todo vuelve a la calma y el silencio se apodera del lugar. El viento y el sonido de las ramas hacen que el momento sea aún más siniestro. Esther lloriquea mirando de reojo el zurrón con los restos de sus amigos. PJ la abraza pero no logra consolarla. La cara de Gema es un poema: no puede entender cómo es posible que aquel tipo no haya caído con el tiro directo a la rodilla. Su mente fría y calculadora ha volado por los aires como si de una explosión se tratara.

Vicente se acerca a la bolsa y la cierra de nuevo. Es consciente de lo que acaba de ocurrir y de que el objetivo principal de Toro es él. Nadie habla. Nadie sabe qué hacer. Aún quedan unas horas para que amanezca, pero está claro que el sueño se acabó para todos.

—Vamos dentro. Dejemos esto aquí. —Vicente toma la mejor decisión.

Le obedecen. Gema entra la última sin dejar de mirar al infinito. Esther no puede parar de llorar. En el poco tiempo que hace desde que conoció a Adán llegó a establecer una bonita amistad con él. Su gracia gaditana, su alegría, ya nunca volverán. PJ lo sabe y no quiere dejarla sola.

—Has cometido una imprudencia que podría habernos costado la vida. ¿En qué cojones estabas pensando? —Gema se dirige a PJ. Está muy enojada.

—No sé qué me ha pasado. Os lo digo en serio. Tenía un impulso incontrolable y necesitaba salir para ver qué era lo que había en esa bolsa. Lo siento mucho, en serio.

—Te ha manipulado. Él tiene la capacidad de hacer muchas cosas, como os he contado. Lo que no se esperaba era que estuviésemos tan bien protegidos. Le ha fallado el plan, y ahora la ira se apoderará de su alma. La próxima vez no tendremos tanta suerte.

—Dios, tendría que estar ahora mismo retorciéndose de dolor en el suelo, el muy hijo de puta. O muerto.

—Cabo, necesito que entienda de una vez que eso que acaba de ver no es humano. Quizá lo fuera en alguna época, pero ya nada queda de aquello. Podría haberle vaciado el cargador en la cabeza que no lo habría ni despeinado. —Vicente se muestra muy serio.

—Esto no lo va a entender nadie. Me van a echar del Cuerpo, y espérate que no me hagan un consejo militar. Porque una cosa es verlo y otra contarlo. Os aseguro que mis superiores no creen en fantasmas.

—Ojalá fuera un fantasma. —Vicente ríe ante su ocurrencia—. Pero es un demonio. De los peores.

—Pues peor me lo pones. No sé cómo llevar esto. De verdad que no. —Por primera vez, Gema se derrumba.

Vicente se acerca a la joven militar y le ofrece un abrazo, que ella acepta sin mediar palabra. Durante unos minutos llora lo que no ha llorado en años. Por primera vez es consciente de que la fuerza y las armas no son suficientes para llevar a cabo una misión: la de salvarlos a todos. Por su cabeza no dejan de pasar las imágenes de su compañero muerto, ni de los chicos gaditanos que decidieron salir a pesar de que era una temeridad. Todo se mezcla en su cabeza y, por un momento, quiere perder la consciencia y dejar de pensar.

Esther por fin se ha calmado, y clava la mirada en la nada. Su mente está en blanco. Mira su reloj y se da cuenta de que en apenas media hora el sol volverá a salir. Como cada día. Esa sensación la hace esbozar una media sonrisa que no pasa inadvertida para PJ, quien busca su mano. La encuentra y le acaricia con suavidad los dedos. Ella lo agradece y la aprieta con fuerza. En sus ojos se reflejan los sentimientos que durante el Camino han aflorado en los dos. Su historia no ha hecho más que empezar.

—Preparad vuestras cosas. En un rato marcharemos, y lo haremos en cuanto la luz llene estos parajes. —Vicente está tranquilo—. Volveremos a Villafranca, y allí nos reuniremos con Chon. Me da la sensación de que esa vieja loca nos está esperando.

—Eso está a demasiada distancia. Estaremos todo el día caminando. ¿No sería mejor buscar ayuda en Vega de Valcarce? Está más cerca —pregunta Esther.

—No. Ese lugar no es seguro. Mirad lo que le pasó a la mujer del albergue. Iremos a mi casa —sentencia Vicente.

PJ se da cuenta de que aún tiene la piedra pulida en la mano. Se la guarda en el bolsillo y, al observarse la palma, se da cuenta que tiene una marca. Es como si le hubiesen puesto ahí un hierro candente, pero no le duele. Curioso, se la enseña a Vicente, que sonríe con gesto divertido.

—Ya tienes un recuerdo del Camino de Santiago, muchacho. Es una especie de tatuaje, pero gratis. —El ermitaño tose de manera exagerada al entrarle la risa. Los demás ríen al verle pasarlo mal.

—Habría preferido una concha con la Cruz de Santiago, la verdad. Pero, por desgracia, habrá más cosas por las que recuerde este viaje.

Todos terminan de recoger sus enseres cuando el primer rayo de sol se cuela por el ventanal que adorna la entrada. Gema se asoma y, de nuevo, puede ver el intenso verde que la naturaleza gallega le regala. Parece que todo está en calma y que nada ha pasado. Tan solo la bolsa de tela que permanece tirada en la entrada de la casa le recuerda lo que en realidad está ocurriendo. Tuerce el gesto y se vuelve hacia la mesa, donde deposita su fusil para ponerlo a punto. Desmonta el percutor y el cañón, y lo mira con atención para comprobar que todo esté bien. Comprueba la munición y vuelve a montar el arma haciendo un ruido considerable. Se nota que la formación que ha tenido le ha hecho dejar la delicadeza a un lado.

—Estoy lista. —Gema termina de ajustarse el cinturón multiusos y mira a los demás con decisión.

—Pues larguémonos de este lugar, por favor. Volvamos a donde todo empezó. Al menos para mí. —PJ recoge su pesada mochila.

Gema abre la puerta y, tras echar una ojeada a los alrededores, les hace un gesto con la cabeza para que la sigan. Poco a poco salen los cuatro seguidos por el perro de Vicente. Cierran tras de sí y se acercan al viejo zurrón. Los restos de sangre ahora se hacen evidentes. El sol muestra el verdadero horror.

—¿Vamos a dejar esto aquí? No me parece un final digno para ellos —pregunta Esther.

—¿Y qué pretendes, que nos lo llevemos a cuestas? Por ahí sí que no voy a pasar. —Gema niega con la cabeza.

—Si os parece bien, podemos enterrarlos. Es lo menos que podemos hacer por ellos —insiste Esther.

Gema deja caer su fusil de mala gana y saca su machete del cinto. Se acerca a los lindes del monte y comienza a cavar un hoyo. PJ se acerca para echarle una mano, pero ella le rechaza con un gesto. La cabo es muy tozuda.

Tras varios minutos, comprueba que la profundidad y el diámetro son suficientes como para dejar cubierta la bolsa. Con sangre fría, se acerca a donde están los restos mutilados de sus compañeros y se los trae al agujero. Vuelve a cavar al ver que aún falta un poco más para dejarlo perfecto. Una vez dentro, lo rellena con la tierra removida. PJ trae una roca de tamaño grande y la coloca sobre la improvisada tumba.

Todos guardan un estremecedor silencio. Vicente susurra por lo bajo unas palabras que resultan ininteligibles para los demás, mientras toquetea la piedra dentro de su bolsillo.

—Que descansen en paz —sentencia Vicente mientras, dando media vuelta, comienza a caminar.

—PJ, no pierdas de vista esa piedrecita. La verdadera arma la llevas tú. —Gema le guiña un ojo mientras deja atrás el puerto de O 'Cebreiro.

16

El grupo camina con paso firme. Baja por la carretera en fila india. Los lidera Esther, que, sin dudarlo, se ha echado a sus compañeros a la espalda. Ya llevan más de una hora desde que salieran del albergue. Gema camina algo rezagada, aunque no deja que la distancia que les separa sea de más de un par de metros. Se siente más segura escoltándolos fusil en mano.

PJ cojea de manera considerable. El dolor comienza a ser intenso, pero trata de disimularlo para no entorpecer el ritmo de sus compañeros. Gema lo ve pero prefiere dejarlo en paz. Todo parece tranquilo y no hay rastro de peligro, pero tampoco de peregrinos.

Al llegar a la parte llana de la carretera, un charco de sangre les da la bienvenida. Esther frena en seco y se echa la mano a la boca. El olor es nauseabundo, y por el rastro que ha dejado en el asfalto se hace evidente que han arrastrado un cuerpo. Lo que parecen restos humanos adornan el arcén de la carretera. Una camiseta desgarrada se le hace familiar a Esther, que se agacha para comprobarlo.

—Esta ropa es de Adán. Dios, que pedazo de cabrón. —Rechina los dientes hasta hacerse daño.

—No os entretengáis. Nos queda un largo camino y no se nos puede hacer de noche. De esa pobre gente ya no quedará nada. —Vicente no se detiene y adelanta a Esther.

Gema se ha quedado quieta dando la espalda a sus amigos. Mira la vegetación que los rodea. Es demasiado densa; si algo o alguien estuviese ahí detrás, no podría verlo. El miedo la hace ver y escuchar cosas que no están sucediendo en realidad. Cuando quiere reaccionar, el grupo ya se encuentra a una buena distancia. Corre como una niña a la que se le ha apagado la luz subiendo la escalera. Se siente ridícula.

Esther sigue las flechas amarillas pero en sentido contrario. En su cabeza se repiten una y otra vez las escenas vividas con Adán. Parecen trozos de una película, y ahora le parece imposible que esté muerto. Intenta recordar su voz, pero no es capaz. Ese acento tan gracioso ahora forma parte de su frágil memoria. Una lágrima se escapa y resbala por su mejilla. La disimula haciendo que se seca el sudor. El calor empieza a apretar, y las primeras capas de ropa desaparecen del cuerpo de los cuatro.

El perro de Vicente corretea olfateando todo lo que le sale al paso. Para el viejo es una garantía. Sabe detectar cuándo el peligro está cerca, y no dudará en dar la vida por su dueño. No es la primera vez que se enfrenta a una de esas bestias. De vez en cuando, se detiene y gruñe a los arbustos. Vicente aprieta la piedra en su bolsillo para quedarse tranquilo.

Esther saca el móvil sin dejar de caminar y comprueba con gesto serio que sigue sin dar ninguna señal. Lo levanta en el aire, sin éxito. Maldice por lo bajo mientras llega a un cartel que indica la distancia que queda hasta el albergue que han dejado esta mañana. Se detiene y mira el camino de tierra que se abre frente a sus ojos. Su mueca lo dice todo.

—¿Qué pasa, Esther? —pregunta PJ, llegando hasta ella.

—Aquí se acaba el asfalto. Ahora tenemos que seguir por el bosque.

—Nos meteremos en la boca del lobo. —Gema sonríe ante la gracia que acaba de decir. Sus compañeros no la secundan.

—No nos queda más remedio que seguir. Al venir hacia aquí desde Vega cogimos un atajo que Toro nos mostró. Pero no recuerdo por dónde fue, y menos en sentido inverso. —Esther mira en todas direcciones, tratando de recordar.

—No tendríais que haberlo seguido. Fuisteis unos inconscientes —refunfuña Vicente, malhumorado.

—¿¡Y qué íbamos a saber!? —PJ levanta la voz de manera ostensible.

—¡Os lo advertí! Pero los jóvenes de hoy en día vais a vuestra bola.

—Si hubieses especificado un poco más, quizás ahora no estaríamos así.

—Si os llego a decir que un demonio recorre estos bosques en busca de sangre, ¿me habríais creído? —El silencio se apodera del momento. PJ agacha la cabeza, avergonzado—. Pues eso. No malgastemos fuerzas en debates absurdos. Tenemos que seguir, y lo haremos por donde marcan las flechas.

El grupo prosigue la marcha, pero esta vez es Vicente el que lo lidera junto a Yester. Esther se retrasa y se sitúa al lado de PJ. No tarda en comprobar la cojera del muchacho.

—¿Te duele mucho?

—Debo de tener algún ligamento dañado. Estoy viendo las estrellas. Pero aguanto, no te preocupes.

Esther lo besa en la mejilla con ternura. A pesar de lo que han vivido en las últimas horas, el sentimiento que ha aflorado en la pareja sigue vivo. PJ le sonríe, aliviado.

La silueta de una persona se distingue a lo lejos. Por la distancia, estará a un kilómetro. Gema da la voz de alarma y todos se detienen. El corazón de la militar comienza a cabalgar desbocado. Según se aproxima, se distingue con claridad que se trata de una chica. Lleva una mochila y en la mano derecha un bastón de madera típico del Camino. Cuando apenas le quedan unos metros para llegar hasta el grupo, repara en ellos y les levanta la mano en señal de saludo. Se detiene y les sonríe.

No tendrá más de veinticinco años, y su esbelta figura no pasa desapercibida para PJ, que le devuelve la sonrisa nervioso. De melena rubia llegándole a media espalda, sus ojos brillan con el sol destacándole su color celeste. Es muy alta, y su piel rezuma juventud.

—¡Hola! ¿Estáis haciendo el Camino? —pregunta la chica con una dulce voz.

—Bueno, sí. ¿Estás caminando sola? —pregunta PJ absorto en los ojos de la muchacha.

—Mis amigas me esperan en Sarria. Empecé en Villafranca del Bierzo, y ellas llegaron ayer. ¿No vais en sentido contrario?

—Sí, es que…

—Es que hemos olvidado las credenciales para sellar en el pueblo de donde partimos esta mañana. Sin eso no podemos tener el diploma al llegar a Santiago. —Vicente interrumpe a PJ en vista de que puede hablar de más.

—Pues eso sería una putada. Tanto esfuerzo para nada. —La chica mira de reojo a Gema, que trata de disimular el arma—. Tenéis escolta y todo. Sois el grupo más curioso con el que me he topado.

—¿Has visto a más peregrinos? —pregunta Esther con gesto de sorpresa.

—Oh, sí. Claro. Hace un rato dejé un grupo atrás que paraban para almorzar. Por cierto, me llamo Natalia. —La chica vuelve a mirar a los ojos a PJ, logrando ruborizarlo.

—Pues que tengas un buen Camino, Natalia. Quizá nos veamos más adelante. —Vicente quiere zanjar la conversación cuanto antes. Está incómodo.

Yester gruñe mirando a la chica. Está nervioso y se sitúa frente a su amo. Ese gesto no le pasa inadvertido a Vicente, que saca la piedra del bolsillo y la deja ver de forma deliberada. La chica la mira.

—Qué bonita. ¿La has encontrado caminando? —pregunta mientras retrocede un par de pasos.

—No. ¿Te gustaría tenerla? Es un regalo de un pobre y viejo peregrino. Seguro que te dará suerte.

—Eh...no. Prefiero que se la quede usted. Tengo prisa.

La chica comienza a caminar sin despedirse. Algo la ha perturbado y no puede disimularlo. Llega a la altura de PJ, que la mira con cara de tonto. Le sonríe y le roza con la mano en la pierna. Un escalofrío recorre la espalda del muchacho. Se le acerca al oído.

—Si te pasas esta noche por Sarria, te lo haré pasar muy bien —le susurra la chica. Acto seguido, desaparece camino arriba a paso rápido.

Todos guardan silencio. Esther permanece mirando a PJ con los brazos en jarras. Es evidente que le está molestando la actitud de su chico. Carraspea profundamente sin dejar de fruncir el ceño.

—¿Qué coño te ha dicho?

—Pues parece que le he gustado. Solo me ha dicho que era muy guapo, no te preocupes —miente.

—PJ, sin duda eres la parte débil del grupo. Y está yendo a por ti. Primero te tentó en el albergue, y ahora esto. —Vicente trata de no molestarle con su comentario.

—No te entiendo, Vicente. ¿Ahora qué he hecho?

—Caer en la tentación. ¿No te has dado cuenta de cómo ha reaccionado Yester? ¿Y la cara que ha puesto cuando ha visto la piedra? Toro tratará de desestabilizar al grupo de todas las maneras posibles. Y esta ha sido una de ellas.

—¿Me estás diciendo que era él, en realidad? —Gema no sale de su asombro.

—No sé si él o uno de sus esbirros. Pero lo que está claro es que nos están siguiendo y que tarde o temprano irán a por nosotros. Debemos darnos prisa o no podremos llegar a casa.

Esther trata de calmarse, pero los celos se han apoderado de ella. PJ parece reaccionar y le agarra la mano. Esther la rechaza de una manera brusca. Es una mujer con carácter y necesita su tiempo para olvidar las cosas.

—Pues yo creo que esa chica es cualquier cosa menos un demonio. Tampoco vamos a poder dudar de todo aquel que se nos cruce en el camino. —PJ no deja de pensar en las palabras que le ha dedicado la extraña mujer.

Tras retomar el Camino, logran alcanzar una pequeña carretera de doble sentido. A pesar de la estrechez de la calzada, se sienten más protegidos. Pero los coches no pasan. La ausencia de noticias les perturba, y que los teléfonos no den señal es algo inequívoco: algo grave está ocurriendo.

Ya han transcurrido varias horas desde que se cruzaran con la chica, y allí no hay rastro de peregrinos. Pero tienen el pueblo de Villafranca a cinco kilómetros y eso les llena de esperanza. Vicente anda más ligero, y parece que la torpeza propia de su edad ha desaparecido. PJ, sin embargo, está al borde de la extenuación. Desde hace una hora camina apoyado en Esther. La rodilla le late de puro dolor.

Al fondo, las primeras casas se hacen visibles. Vicente llega hasta una de ellas. Es el hogar de Damiana y José, dos

octogenarios del pueblo que regentaban hace años una merce-
ría. Ahora jubilados, se dedican a dar largos paseos por los alrededores. Toca la puerta. Nadie responde. Insiste varias veces,
sin éxito. Maldice por lo bajo.

—Pues empezamos bien. Será mejor que vayamos primero
a Los Lobos para ver a Chon. Esto no me da buena espina.

Cruzan la carretera y, tras media hora, por fin llegan a
Villafranca. A PJ le resulta familiar lo que está viendo. Reconoce
el lugar donde lo dejó el autobús que lo trajo desde Madrid, y
el bar donde conoció a Esther. Ambos se miran recordando el
momento. PJ se acerca a la tasca, pero permanece cerrada a cal
y canto. Consulta su reloj y, sorprendido, ve que son las cinco
de la tarde. Llevan todo el día caminando.

Siguen avanzando despacio por las calles empedradas, pero
parece que el lugar ha sido desalojado. Comercios cerrados, per-
sianas bajadas. Ni un alma. El silencio se vuelve incómodo. Al
fondo de la calle puede verse el albergue de Los Lobos. También
parece cerrado, pero Vicente se acerca a la puerta trasera y golpea fuerte con los nudillos. Tampoco hay respuesta.

—¡Joder! Chon, abre de una maldita vez —vocifera con un
claro gesto de impotencia.

Tras unos interminables segundos, el inconfundible sonido de los cerrojos se escucha. Gema apunta hacia la entrada
muy nerviosa, pero Vicente le hace un gesto de bajar el arma.
Ella no obedece. La puerta se abre un filo y una nariz aguileña
asoma por ella. Unos ojos arrugados miran al grupo. Abre del
todo al reconocer a Vicente. Es Chon.

—¡Vieja del demonio! Ya pensaba que te había pasado
algo. —Vicente se acerca y la abraza.

—Tiene que venir todo el infierno para que tumben a esta
anciana cansada. ¿Dónde *carallo* te habías metido? Te busqué
en tu cabaña, pero te habías marchado. —La vieja los mira de
reojo a los demás.

—Salí a por estos. —Los señala con la cabeza—. Me
necesitaban.

—Ya veo. ¿Has podido verle? Ya me entiendes.

—Sí, cara a cara. Sigue estando igual que aquella vez.

—Aquí ha venido por la noche. Lo acompañaba una buena manada de lobos. Venían a por nosotros.

—¿Dónde está todo el mundo? No hemos visto a nadie desde hace dos días, salvo a una chica que se nos cruzó hará varias horas.

—Eso es imposible. La gente está en las cuevas de la montaña, donde encontraron a tu padre. Todos están allí. ¿Esa chica os dijo algo?

—¿En las cuevas? ¿Y qué hacen allí? —pregunta PJ, confundido.

—Él los ha arrastrado. Ninguno es consciente de lo que hace. Les ha robado la voluntad, igual que hace con los animales. Por cierto, te recuerdo, muchacho. Te di una de mis piedras. ¿Te ha venido bien?

—Más que bien. Sin ella, probablemente ya estaría muerto.

—Lo vi en tus ojos. Por eso te la di. Pasad a mi casa. No tengo ningún peregrino, como podréis comprobar.

La vieja les ofrece entrar. Miran a Vicente, que asiente con la cabeza. Una vez dentro, lo primero que ven es un cuadro enorme de un lobo presidiendo el salón. Mira desafiante, y su porte es de una belleza considerable. Una mesa camilla reposa bajo el cuadro, y debajo del mantelito que la cubre se distingue lo que parece ser un antiguo brasero.

Un sofá de tres plazas con un estampado de flores descansa contra la pared del fondo. A su lado, un butacón mecedora está junto a un cesto lleno de revistas. Se nota que es el rincón de la anciana para descansar. Una lámpara de pie completa la decoración.

PJ se tumba en el sofá y se remanga la pernera del pantalón. Tiene la rodilla muy hinchada. Esther trata de calmarlo. No puede más con el dolor, y se tapa la cara con ambas manos. La vieja lo observa y se dirige a la cocina. A los dos minutos regresa con una bolsa de hielo y una pomada. El viejo perro de Vicente se sienta a sus pies.

—Has tenido suerte de que no tengamos peregrinos esta tarde, porque el hielo es un bien escaso en esta época del año. Úntate esta pomada, chico. Es mano de santo.

Esther la coge y la unta bien por toda la articulación. PJ resopla al notar el calor intenso que le proporciona la crema. Según le masajea con cuidado, va notando algo de alivio. Mira a Chon y sonríe.

—Muchas gracias. Me siento mejor.

—No hay de qué. Ahora, ponte el hielo y deja que baje la hinchazón. Mañana podrás hasta correr.

—Chon, ¿qué podemos hacer contra esa mala bestia? Sigue matando, y no parará hasta vernos muertos —interrumpe Vicente a su amiga.

—Poco, viejo amigo. Mis piedras lograrán frenarle un tiempo, pero es más fuerte de lo que podemos imaginar. Tengo que consultar mis libros. Esta noche os quedaréis todos aquí. Tengo comida y bebida de sobra. Pero a ti y a mí nos toca noche de insomnio.

17

El aullido de un lobo sobresalta a Gema, que se sienta asustada en la cama. Está empapada en sudor debido a la manta que la vieja posadera le proporcionó al acostarse. Necesita unos segundos para situarse y comprender su situación. A su lado duermen PJ y Esther. Los dos están cogidos de la mano y la escena le provoca cierta ternura. Sonríe.

Se levanta y pone los pies descalzos en el terrazo. Está frío, pero no se entretiene en buscar los calcetines. Algo la ha despertado y quiere saber qué ha sido. Palpa en la oscuridad hasta dar con su inseparable fusil. Tiene la camiseta pegada a la espalda por el sudor y le resulta incómodo. Se acerca a un ventanuco de madera que tiene junto a la cama donde descansan sus compañeros. Una fea y florida cortina esconde lo que hay fuera. La corre con cuidado, pero la noche es cerrada y esta vez no se ve la luna por ningún sitio. Maldice por lo bajo.

Se vuelve hacia su cama y se sienta. Encima de ella hay una litera que está vacía. Se ha desvelado. Decide ir a ver si localiza a Vicente por la casa. Busca a tientas su cinto, que tiene apoyado en una silla de la habitación. Coge una pequeña linterna y comprueba que funciona. Satisfecha, sale del cuarto y se encuentra con un largo pasillo custodiado por varias puertas. Todas cerradas.

Avanza con cuidado. No quiere hacer el más mínimo ruido, por si acaso. Otro aullido. Gema pega un saltito del susto y deja caer la linterna de las manos. Esta se desmonta por completo sumergiéndolo todo en una profunda oscuridad.

—Me cago en su puta madre —susurra ante su propia torpeza.

Se agacha y trata de recuperar todos los fragmentos, pero no ve nada. No quiere encender la luz del pasillo, y mucho menos después de lo que acaba de escuchar. Sabe que ese sonido podría ser su fin, y no quiere provocar a lo que sea que haya ahí fuera. Desiste en buscar la pieza que le falta y, apoyando la mano en la pared, avanza con cuidado. El pasillo llega a su fin y, aliviada, comprueba que a unos metros se distingue una tenue luz. Parece la de un candil, dado que su reflejo parpadea en la pared. Se detiene un momento: enseguida sospecha que puede que no sea Vicente.

Amartilla el arma tratando de hacer el menor ruido posible, y con la referencia de la luz, avanza como si estuviera a cámara lenta. Un relámpago ilumina la casa y Gema apunta hacia el origen del fogonazo. Un trueno suena a lo lejos. Una tormenta les está alcanzando.

Está muy nerviosa. Esta vez se deja de sutilezas y avanza rápido hasta llegar al cuarto. Se asoma y, en efecto, un candelabro con tres velas permanece encendido en una mesa de madera. Sobre la misma, un libro enorme abierto por la mitad. Las hojas amarillentas muestran una figura fantasmagórica en la pared. Varias piedras como la que tienen PJ y Vicente están tiradas de cualquier manera en la mesa, y un cenicero lleno de colillas completa la estampa. Huele mucho a tabaco.

Otro relámpago la pone en alerta. El trueno ha sonado más seguido. Tienen la tormenta casi encima. Se escuchan caer las primeras gotas de lluvia rebotando en el cristal donde se encuentra la cabo. A los pocos segundos, el Diluvio Universal cae sobre Villafranca del Bierzo.

—Cojonudo. Como para salir huyendo de aquí.

Curiosa, se sienta en una de las sillas que tiene frente a la mesa. Apoya el fusil en la pared y observa el viejo libro. Puede ver cómo está ilustrado con florituras de un siglo anterior. No entiende bien lo que pone. Parece latín. En la página de la derecha, la figura de una bestia horrenda aparece rodeada de pequeños animales de formas imposibles. Bajo la ilustración distingue el nombre de Behemot.

Pasa la página y trata de traducir la siguiente inscripción. En el instituto dio algo de lenguas muertas, pero de eso hace ya mucho tiempo. Algo duro le aprieta la espalda. El corazón se le sale por la boca y, por instinto, levanta los brazos. Alguien le apunta con el cañón de su arma.

—Me sorprende verte con la guardia baja.

La voz familiar de Vicente hace que resople de alivio. Se da media vuelta y le sonríe, nerviosa. En el fondo, le molesta sobremanera que la hayan pillado en un renuncio. Está entrenada y no debería ser así.

—Disculpa, Vicente. Escuché a los lobos ahí fuera y me desvelé. Vi la luz de las velas y quise comprobar si erais vosotros.

—Has tenido suerte de que lo fuéramos. También los oí, y quería cerciorarme de que estamos protegidos. ¿Quieres un café?

—No, gracias. ¿La vieja dónde está?

—Se llama Chon. Ha ido a por tabaco a su habitación. Fuma como una locomotora, la desgraciada.

Los dos ríen ante el tono que ha empleado el hombre. Se miran con gesto divertido, que se ensombrece al sonar un trueno muy cerca de la casa. Se ilumina todo el monte que les rodea. En el intervalo de un segundo, se distingue con claridad que decenas de lobos rodean la casa.

—Joder. Ese ser no obtendrá descanso alguno hasta que acabe con él.

—¿Con él? ¿A quién te refieres?

—Al chico, a PJ. Behemot tiende siempre a obsesionarse con alguien. Normalmente elige a los más débiles de mente. Son fáciles de manipular, y él lo es. Se nota que lleva una dura historia detrás, y que venir aquí no fue por vivir la experiencia. Chon lo notó al verlo, y por eso quiso protegerlo. Cuando vino a mi cabaña junto a la chica, también pude ver esa carencia en sus ojos.

—Pues será mejor que no se lo digas. Él piensa que va a por ti, principalmente.

—Bueno, también tiene una cuenta pendiente conmigo. De crío yo también era como PJ. Por eso vino a por mi familia. Pero hoy no soy aquel niño inseguro y manipulable. Y ese malnacido se ha percatado de ello. Por eso se ha centrado en el pobre chaval.

La lluvia es torrencial y los truenos retumban por toda la montaña. La posadera aparece por la puerta sobresaltando a Gema, que no gana para sustos. Lleva encendido un pitillo que sujeta con veteranía en sus labios arrugados. Observa a la militar con desconfianza mientras se sienta en la silla y recoge todas las piedras. Las guarda en sus manos y, tras moverlas, vuelve a soltarlas sobre el tablero. Se queda mirando con detenimiento la forma con la que han quedado situadas. La ceniza del cigarrillo cae sobre su raída bata, pero no le preocupa.

Se vuelve hacia Vicente y, tras dar una profunda calada, exhala el humo y tuerce el gesto.

—No tardará mucho en manifestarse. Tenemos que despertarles.

—¿Crees que está aquí? —Gema comienza a temblar.

—Es una sensación rara. No puede entrar porque mi protección es infranqueable. Pero es como si ya estuviese aquí. Sus lobos están ahí fuera, lo sé. Llegan cada noche desde que el pueblo cayó sumergido en su poder.

—Pues aquí solo estamos nosotros.

—Solo te digo lo que me transmiten las piedras. Y hay algo que no me gusta nada. Insisto en despertarlos.

Vicente no espera a que Gema reaccione. Sale de la habitación portando una de las velas. La cera caliente le cae en la mano, pero no parece importarle. Llega hasta el cuarto donde duermen y se sienta en el borde de la cama sin hacer ruido. Apoya la vela en una mesilla de noche, pero se apaga. Todo se queda a oscuras. Otro relámpago lo ilumina todo durante unos segundos. El trueno es muy fuerte y la lluvia intensa. Vicente toca la frente de PJ, que suda por el calor de las mantas. Esther se sobresalta al escuchar el trueno y mira la silueta del viejo. Apenas la distingue, y su respiración se acelera.

—Tranquila, muchacha. Soy yo. Perdona si te he asustado. Necesito que vengáis conmigo, Chon quiere hablar con todos.

Esther aprieta el botón que ilumina su reloj digital y se tumba boca arriba acordándose de los ancestros del viejo ermitaño. Son las cuatro de la madrugada y el cansancio acumulado por la tensión y la caminata han hecho mella en ella. Necesita dormir doce horas seguidas.

Tras asumir durante un par de minutos que no es una pesadilla, besa en la mejilla a PJ para tratar de despertarlo. No tiene éxito. Le susurra al oído y parece que reacciona.

—¿Qué pasa? —PJ todavía no es capaz de ubicarse.

—Ven, nos esperan en el salón. Quieren hablar con nosotros.

A PJ le pesan los ojos. Es como si tuviera arenilla dentro. Al sentarse en la cama nota un pinchazo en la rodilla, pero ni punto de comparación con cómo estaba ayer. Parece que el ungüento milagroso lo ha ayudado bastante. Avanzan los tres hasta donde se encuentran Gema y Chon. No encienden ninguna luz. Vicente se conoce bien la casa.

Entran y lo primero que ven es a Gema con cara de pocos amigos, algo habitual en ella. A su lado, Chon permanece sentada. Las dos los miran. Esther trata de mantener los ojos abiertos.

—Siento mucho el madrugón. Como sabéis, nos enfrentamos a uno de los peores peligros que un ser humano pueda asumir. No es fácil de asimilar, sobre todo para las personas no creyentes. —Chon mira de reojo a Gema, que esquiva la mirada—. Pero tenéis la gran suerte de estar en mi casa. Y puedo ver cosas que nadie ve.

—¿Y qué ha visto que sea tan importante como para levantarnos a estas horas? —pregunta Esther, malhumorada.

—Muerte. Y cosas peores. ¿Puedo haceros una pregunta?

Los dos se miran extrañados. Asienten con la cabeza. La vieja los observa y, sin mediar palabra, se vuelve hacia la mesa y recoge las piedras. Tras mezclarlas bien en sus manos, las lanza. Durante unos segundos, las mira con detenimiento. Apura el cigarrillo y, sin perder el tiempo, se enciende otro. Con el pitillo en la mano se rasca la cabeza y balbucea algo que solo el cuello de su bata es capaz de entender. Vuelve a mirar a PJ y a Esther. Su cara está desencajada.

—Las piedras me dicen cosas horribles de esta noche. Pero no logro entenderlo. ¿Dónde os conocisteis?

—¿Puedes especificar un poco más, por favor? Me estás poniendo nerviosa. —Gema no pierde de vista la ventana.

—La pregunta no es para ti. Es para ellos. Contestad.

—Fue aquí mismo, en el bar del pueblo. Yo acababa de llegar desde Madrid y ella estaba comiendo. Comenzamos a hablar y así empezó todo.

—Ya, entiendo. ¿Y desde entonces siempre habéis estado juntos?

—Sí, siempre. No entiendo nada de esto. —PJ se empieza a rallar.

—Las piedras me dicen que está aquí, pero no logro sacarle la lógica. Es la primera vez que me ocurre esto. Siempre veo las cosas con mucha claridad.

—¿Y para esto nos ha despertado? ¿Usted sabe la caminata que nos pegamos ayer? —Esther levanta la voz.

—Si quieres dormir, puedes marcharte. —La posadera le pega una larga calada a su enésimo cigarrillo de la noche.

—Oh, sí, por favor. Es lo mejor que podría decirme. —Esther da media vuelta y encara el pasillo hacia su habitación.

PJ observa cómo se va. Mira a Vicente sin entender nada. Se sienta junto a Chon y mira las piedras. No comprende qué puede ver en ellas.

—Chon, dime qué me va a pasar. Porque lo que has visto seguro que va sobre mí. Si no, no me habrías despertado.

—Niño, desde que pisaste mi tierra estuviste condenado. El consejo que te doy es que trates de salir de aquí lo antes posible. Que te vayas a tu casa, con tu gente, y que olvides que un día quisiste hacer el Camino de Santiago. Y, sobre todo, jamás vuelvas.

—¡Pero no entiendo qué he hecho!

—Venir donde no debías. Culpa no tienes, chiquillo. Ahora hay que ver la forma de sacarte de este lugar. Él no lo permitirá, desde luego. Pero hay algo más.

—¿Algo más? Por favor, esto es un infierno.

—Es lo que trato de averiguar. Algo están diciéndome mis amuletos que no logro entender. He consultado el libro de mis antepasados para descifrarlo, pero es complejo. Será mejor que vayas con la chica y que tratéis de dormir algo más. En cuanto sepa algo os lo comunicaré.

—Yo también me voy. Vamos, PJ. Estaremos los tres juntos. Fuera está cayendo una buena y, además, esas bestias nos rodean de nuevo. —Gema rodea con su brazo el cuello del chico, el cual agradece el gesto.

Ambos se levantan y desaparecen en la oscuridad del pasillo. Vicente observa la ventana. Los relámpagos son cada vez más intensos y poderosos. El ruido de la lluvia, lejos de relajarlo, pone más nervioso si cabe al hombre. Se sienta junto a su amiga de la infancia y guardan silencio. Chon recoge las piedras y las mete en un recipiente de madera grabado con una inscripción. Cierra la tapa y la besa con delicadeza. Le tiemblan las manos, fruto de la edad. La luz que proyectan las velas se refleja en la habitación, dándole un aire siniestro.

Posee el don desde que tuvo uso de razón. Su madre también lo tenía, y eso es algo que se transmite de generación en generación. Veía cosas donde los demás solo percibían oscuridad. Sabía meterse dentro de las personas, y siendo una niña le parecía divertido. Hasta que una mañana pudo ver la muerte de su madre antes de que se produjera. No le dio tiempo a hacer nada por ella. No supo interpretarlo. Desde entonces, juró que utilizaría su don para proteger a los demás.

Creció con la ausencia de su madre. Con una hermana siempre ausente, un padre alcohólico y prácticamente en la ruina, desde muy joven tuvo que sacarse las castañas del fuego. No siempre pudo trabajar en cosas normales. Hay recuerdos que prefiere olvidar. Aquellas noches surcando las oscuras calles de Santiago mientras sucios peregrinos saciaban su sed y sus ganas de carne. Pero salió adelante. Supo sobrevivir.

Chon decide abrir de nuevo la caja y, volcándola, deja caer las piedras. Su gesto se tuerce. Frunce el ceño y mira a Vicente, desconcertada.

—¿Qué estás viendo? —pregunta el hombre, preocupado.

—Ha logrado entrar. No sé cómo, pero está aquí.

18

Amanece. Chon y Vicente apuran una última taza de café en espera de que los chicos despierten. Ya pueden verse con algo de claridad los alrededores del albergue de Los Lobos. La tormenta pasó, y lo deja tras de sí todo embarrado y con árboles arrancados de cuajo. La vieja posadera abre una de las ventanas y enseguida le llega el olor a hierba mojada. Es agradable. Ahí fuera no hay rastro de nadie ni de nada. Esto está durando demasiado, y hay que detenerlo como sea.

Vicente acaricia a Yester. Está inquieto y no deja de olisquear el suelo. Quiere entrar en la habitación donde duermen los demás, pero su amo lo sujeta por la correa. Insiste demasiado, cosa que hace dudar al hombre. Abre la puerta de la calle y sale. Se vuelve hacia Chon, que le observa.

—Voy a ver si hace sus cosas, o te pondrá el suelo perdido. No me moveré de aquí.

—No te preocupes. Voy a prepararles algo de desayunar.

Chon se mete en la casa y cierra la puerta. Vicente mantiene la mirada clavada en el monte. Allá arriba su padre respiró por última vez, y eso le hiela el corazón. Yester corretea libre por la zona. Bebe de un charco a pesar de que a Vicente no le hace gracia. Pero no está atento al perro. Si ha salido es porque tiene la sensación de que Él lo está esperando. Yester se detiene en seco y levanta el rabo dejándolo en posición horizontal. Su mirada se fija en el cobertizo que Chon tiene junto al albergue. La puerta está entreabierta. El perro gruñe, pero no se mueve del sito.

—Así que estás ahí. Bien, bien —susurra Vicente.

El hombre comienza a caminar hacia el cobertizo. Un escalofrío le recorre la espalda, pero con sangre fría avanza hasta llegar a la puerta. Dentro solo se distingue oscuridad.

—Sé que estás ahí. ¿Por qué no terminas lo que dejaste a medias hace sesenta años? Aquí me tienes.

No obtiene respuesta. Yester no para de gruñir y, tras dudar un par de veces, finalmente se sitúa delante de su dueño en posición de defensa. Su fidelidad no conoce el miedo.

Un lobo se asoma desde dentro del cobertizo y, con una tranquilidad pasmosa, se aleja de la zona. Apenas ha reparado en Vicente. Tras el animal, la inconfundible figura de Toro se hace visible. Está desnudo de cintura para arriba, dejando ver su inmensa barriga. Unos pantalones roídos le cubren lo demás. Está descalzo y empapado. Pero la sonrisa diabólica no se le borra de la cara.

—Déjame, viejo. Sabes de sobra que ahora no eres mi plato principal. Dile al chico que salga y desapareceré. Al menos, por un tiempo.

—No. Ese muchacho no tiene la culpa de nada. Déjale marchar y llévame a mí. Completa lo que empezaste hace años.

—Tu padre tampoco tenía la culpa de tener un hijo como tú. Aún recuerdo su sabor, ¿sabes? Pero mis preferencias han cambiado. Lo quiero a él.

—Sabes que no puedes hacer nada. Por eso estás ahí, esperando a que cometamos un error. Pero te hemos visto la jugada. Márchate.

Toro suelta una risotada que provoca el gimoteo del perro de Vicente, que se esconde tras él. Se quita los restos de babas y mugre de la poblada barba y vuelve a mirar al hombre con gesto desafiante. Está demasiado tranquilo, y eso desconcierta a Vicente.

—Me iré, pero con ese chico. Tengo toda la eternidad para que así sea. Y si no puedo yo, otros lo harán por mí.

—Tus bestias tampoco podrán entrar. Y lo sabes.

—¿Y quién ha hablado de los lobos? —Toro vuelve a reír sujetándose su gran panza—. Cuando me propongo algo, utilizo todos los medios posibles para alcanzarlo.

Vicente saca su piedra del bolsillo y se la muestra. Toro gira la cabeza evitando mirarla fijamente. Rechina los dientes y retrocede unos pasos hasta casi meterse de nuevo en el cobertizo. Mira a Vicente con los ojos entreabiertos. Su gesto ha cambiado.

—No a todos nos afectan de la misma manera vuestros amuletos. Pronto lo sabrás.

El demonio, dando media vuelta, desaparece entre la maleza que puebla la zona. Yester corre tras él ladrando, pero apenas avanza unos metros. El miedo le puede.

—Tranquilo, chico. Vamos a casa.

Vicente se acerca a la entrada del albergue y toca en la puerta. Chon no tarda en abrir y enseguida se percata de que algo no marcha bien. Observa que el viejo tiene la piedra en la mano y la mirada perdida. Yester se cuela entre las piernas de la anciana y desaparece por el pasillo. Una vez dentro, Vicente se sienta en una de las sillas del recibidor y se pasa la mano por la cara.

—Estuviste con esa mala bestia, ¿no es así? —pregunta la mujer, sentándose a su lado.

—Estaba en el cobertizo. Me ha pedido que entreguemos a PJ, y se marchará. Me he ofrecido en su lugar, pero lo quiere a él. Y ha dicho otra cosa que me ha desconcertado.

—¿Qué te dijo, pues?

—Que si no puede conseguir al chico, otros se lo proporcionarán. Y que pronto sabremos que no a todos los que son como él le afectan nuestras piedras. ¿Qué puede significar eso?

—Exactamente lo que vi anoche, viejo amigo. Ese chico tiene que marcharse, pero solo. Y solamente podremos sacarlo de aquí tú y yo. Sin que nadie se entere.

—Pero Esther y él son pareja, si no me equivoco. No podemos hacer eso.

—Si no lo hacemos de esa manera, morirá.

El silencio se apodera del lugar. Los dos se quedan sumergidos en los mismos pensamientos. Chon sabe más de lo que quiere contarle a su amigo, pero se limita a darle la información según lo requiere cada momento. Cualquier paso en falso podría acabar con todo.

Gema reaparece con cara de sueño. Ya está vestida y lleva colgado al hombro su inseparable fusil. Se queda mirándolos sin entender qué hacen ahí en silencio. El perro de Vicente sigue gimoteando a los pies de su amo.

—No he conseguido despertar a Esther. PJ se está poniendo las botas.

—Mejor. Tenemos que hablar con él a solas. Llévalo a la cocina, por favor —ordena Chon, encendiéndose un cigarro.

Gema resopla. Abandona el salón para ir en busca del muchacho. Tras un par de minutos, aparecen los dos. Vicente y Chon los esperan sentados. Gema se queda de pie junto a PJ, pero un gesto de Vicente la hace reaccionar y sale de la cocina. Cierra la puerta a su paso.

PJ se siente confundido. Se acerca a la mesa cojeando levemente y se sienta. Chon le agarra de la cara y le observa la herida medio cicatrizada de la frente. Arruga los labios y mira a los ojos del chico. PJ se sorprende al ver los profundos y arrugados ojos de la anciana. Esas arrugas cuentan muchas historias.

—Te imaginarás lo que vamos a decirte, ¿verdad? —Vicente rompe el hielo.

—No lo tengo claro. Pero necesito llamar a mi familia y que vengan a buscarme. No aguanto estar aquí ni un minuto más.

—Te marcharás, claro que sí. Es precisamente lo que te queríamos decir. Pero no podrás elegir cómo ni cuándo. Tendrá que ser cuando el animal que te vigila día y noche no esté atento. Y eso es lo complicado.

—Pero Toro no puede hacerme nada mientras tenga la piedra. ¿No es así?

—Claro, joven, pero no es esa mala bestia la que me preocupa. Ahora, tienes que prometerme una cosa. Tu vida está en juego. ¿Puedo confiar en ti?

—Te doy mi palabra.

—Bien. Esta conversación ha de permanecer secreta. Nadie salvo nosotros debe saber que te marcharás de aquí. ¿Estamos?

—Nadie lo sabrá. Soy joven, pero sé cumplir mi palabra.

—Ni si quiera ella —sentencia Vicente, frunciendo el ceño.

PJ mira a los ojos del anciano, los cuales se han oscurecido de una manera extraña. Enseguida comprende que están tratando de salvarlo, pero también se ha dado cuenta de que le están ocultando algo. Prefiere esperar acontecimientos.

Se levanta y abre la nevera. Saca una botella de leche. El café está recién hecho, y todavía humea la cafetera que hay sobre el fuego. De pronto, siente un hambre terrible. Se pone a buscar por los armarios sin éxito. Chon se percata de ello y abre una alacena que tiene junto a la nevera. Saca una caja de magdalenas caseras y se las ofrece a PJ. Este las mira con satisfacción. Tras servirse un buen tazón de café con leche, comienza a mojar una de las magdalenas. Come con gusto.

Tocan a la puerta. Gema asoma la nariz, curiosa. Tras ella, Esther espera para entrar. Vicente asiente con la cabeza y ambas pasan a la cocina. Gema ve el festín que se está pegando su compañero y busca otra taza para ella. Esther no hace ni el amago. Mira sin disimulo a los ojos de Chon, que le aguanta la mirada con veteranía.

—¿No vas a desayunar? —pregunta Chon levantando una ceja.

—Estoy revuelta, señora. Luego comeré algo. —Esther se muestra rara.

PJ levanta la cabeza de su tazón para mirar a su chica. Tiene una mirada extraña desde que llegaron allí. Le extiende la mano y Esther la coge. Está fría como el hielo.

—¡Estás helada! ¿Te encuentras bien?

—Ya os he dicho que estoy mala. No he pasado buena noche. Desayunad vosotros. Voy a echarme un rato.

Esther sale de la cocina. Deja tras de sí un silencio incómodo. Chon y Vicente se miran. La vieja sonríe de una manera sarcástica. Para Gema no pasa inadvertido ese gesto y le coge su arrugada mano.

—¿Qué está pasando? Antes no he podido evitar escuchar algo de lo que hablabais. Si este chico está en peligro, quiero ayudarle. Estoy entrenada.

—Te lo agradecemos mucho, de verdad, pero va a tener que hacerlo solo. Si de verdad quieres ayudar, tendrás que ocuparte de ella —responde Chon con gesto sereno.

—¿Se refiere a Esther?

—Sí. No debe saber que se marcha. Es importante que así sea —insiste Chon.

—No lo entiendo. Ella ha estado conmigo desde que pisé esta tierra. Me ha ayudado en todo momento —interviene PJ sin entender nada—. Además, hemos comenzado algo, ya me entendéis.

—En su momento lo entenderás. Mantén la mochila preparada, porque en cualquier momento partirás. ¿Sabes montar en moto?

—Estoy flipando. Sí, en Madrid suelo montar una que tenía mi padre. No es de mucha cilindrada, pero corre bastante.

—La que te daré es una auténtica mierda, chico. Todavía no sé ni cómo se mantiene en pie. Pero todavía arranca, y te servirá para alcanzar el pueblo de al lado, Ponferrada. Allí podrás coger un autobús que va directo a Madrid. La carretera no tiene pérdida. Es todo recto. De la gasolina no te preocupes, tiene el tanque lleno.

—Madre mía. Si esto me lo cuenta alguien antes de venir, estoy riéndome una hora. ¿Y cuándo será ese momento?

—Las piedras aún tienen que hablar. A las doce del mediodía volveré a consultarlas y será entonces cuando tu destino quede sellado. Quizá para siempre.

A PJ se le ha quitado el hambre. Deja sobre la mesa lo que le quedaba de magdalena y se incorpora. Sale de la cocina. Gema coge el trozo sin cortarse un pelo.

—Gema, cuando llegue la hora probablemente veas y escuches cosas que jamás olvidarás. Pero tienes que mantenerte fuerte y fría en todo momento, veas lo que veas —comenta Chon ofreciéndole a la militar otro dulce.

—Tengo miedo. ¿Saben una cosa? Llevo años sirviendo a la Patria, luchando entre hombres para poder ser considerada entre mis compañeros. Desde pequeña, me di cuenta de que tendría que gritar más que nadie para ser escuchada, solo por ser mujer. He vivido toda clase de situaciones durante mi carrera, incluso estuve a punto de perder la vida en unas maniobras. Y ahora, en una de las misiones más absurdas que me han encargado mis mandos, tengo miedo por primera vez. Lo peor de todo es que no sé a qué. Tengo que depender de esas cosas que ustedes manejan.

—El miedo es libre, cabo. Eso te hace ser más humana. Esto que tú llamas «cosa» me dice que tendrás un papel importante en los acontecimientos. Cuando llegue el momento, lo sabrás. Para que no andes en desventaja, te daré una de mis piedras; sé que confías más en tu fusil, chica, pero ya has visto lo que son capaces de hacer. Por cierto, deja de llamarnos de usted. —Chon frunce el ceño, pero le guiña un ojo.

Coge uno de los amuletos y se lo ofrece a la militar, que lo acepta sin rechistar. Lo observa con detenimiento y trata de encontrarle algún sentido. No lo consigue, pero sabe que en la situación en la que está depende por completo de ellos. Prefiere esperar acontecimientos. Se guarda la piedra.

Un movimiento a través de las cortinas alarma a los cuatro. Un grupo de peregrinos acaba de llegar al pueblo y uno de ellos se aproxima a la puerta para llamar. Vicente hace un gesto para que guarden silencio. Suena el desgastado timbre. Chon se levanta, pero el ermitaño trata de impedírselo. Ella le retira la mano de su hombro de mala manera. Desde siempre ha sido una mujer independiente.

—No te preocupes, viejo cabezota. No suponen ningún peligro.

—¿Cómo sabes eso? —pregunta PJ.

La vieja se limita a responder con una sonrisa irónica y se dirige hacia la puerta. Vuelve a sonar el timbre. Corre el cerrojo y abre solo media puerta, para evitar sustos. Enseguida ve a una chica joven, de unos veinte años. Tras ella, a unos metros, un grupo de cinco personas. Portan enormes mochilas y bastones de madera. Por la suciedad y por sus pintas, es evidente que están haciendo el Camino.

—Buenos días, me llamo Cristina. Venimos desde Ponferrada. ¿Tienen sitio en el albergue para descansar?

Chon la observa de arriba abajo. Su estado es deplorable: pelo ensortijado, ropa mojada y botas llenas de barro. Medirá un metro setenta y ocho y no pesará más de sesenta kilos. Sus compañeros no tienen mejor aspecto.

157

—El albergue está cerrado, bonita. Lo siento mucho. Deberéis caminar hasta Vega de Valcarce y, si tenéis suerte al llegar, quizá os den alojamiento.

—Señora, venimos empapados y muertos de frío. Anoche nos pilló la tormenta en pleno monte y tuvimos que acampar al raso. Al menos, deje que nos podamos duchar y cambiar de ropa. —La cara de la muchacha es un poema.

—Está bien. Podéis pasar, pero lo haréis de uno en uno. No quiero que me llenéis la casa de mierda.

—Oh, muchas gracias. Voy a decírselo a mis amigos.

Cuando Cristina se da la vuelta, no puede entender lo que ve: sus amigos están dándole la espalda, quietos. Miran hacia la montaña. La chica trata de acercarse a ellos, pero Chon la agarra del brazo para detenerla.

—Estate quieta o acabarás como ellos.

El grupo comienza a caminar al unísono como si de un rebaño de ovejas se tratara. Sus miradas están perdidas y su andar es errático. Cristina les grita, pero ninguno responde a su llamada. No parecen ellos.

—Pero ¿qué está pasando? ¡Suélteme! —Cristina trata de zafarse de la vieja.

—Estate quieta, insensata, y pasa dentro. Por tu bien.

En ese momento, un lobo aparece entre los arbustos y se une al grupo de la chica. Mira hacia el albergue y emite un gruñido desafiante. Cristina se tapa la boca con las manos, ahogando el grito. No puede creer lo que está viendo.

El lobo muerde la mano de uno de los chicos y, con fuerza, lo tira al suelo. No hace ningún esfuerzo por librarse del animal. Otros dos lobos aparecen en escena y, con sangre fría, comienzan a devorar al chico ante los ojos horrorizados de su amiga, que esta vez grita su nombre, desesperada. Los animales siguen con su festín mientras el resto del grupo desaparece entre la maleza.

Chon abre del todo la puerta y arrastra a la chica dentro. Cierra tras de sí. Enseguida acuden PJ y Gema ante los berridos de dolor que Cristina está emitiendo. Se tira al suelo y se tapa la cabeza con ambos brazos. No puede parar de llorar.

—Lo hemos visto todo desde la cocina. Ya sabemos cómo lo hace y por qué no hay peregrinos por la zona. Tenemos que parar esto como sea. —PJ está todavía impactado por lo que acaba de presenciar.

—¡Llamad a la policía! ¡Por favor, se están comiendo a mi amigo! —grita Cristina, pataleando el suelo.

—Gema, llévatela a la habitación y trata de calmarla. Ahora iré yo y hablaré con ella —ordena Chon.

—Vale. Pero antes, déjame que me quede a gusto.

Gema coge el fusil y abre la parte de arriba de la puerta. Tras apuntar a los animales, dispara. Uno de ellos cae abatido de un certero tiro en la cabeza. Vuelve a amartillar el arma y repite el mismo proceso. Vuelve a acertar. El tercer lobo abandona la sangría huyendo monte arriba. Gema esboza una media sonrisa de satisfacción.

—Dos cabrones menos —susurra la militar.

—Esos animales no tienen culpa de nada. No deberías haber hecho eso. —Chon está muy molesta.

Gema no responde. Se echa el arma al hombro y se lleva a la chica a la habitación sin mediar palabra. PJ se asoma a la puerta y observa a lo lejos el cadáver del pobre chico. Tiene el pecho abierto por las dentelladas de las bestias. A su lado, los dos lobos abatidos.

—Vamos a abrir los telediarios de medio mundo. Y ya verás cómo nos salpica todo esto.

—Deberían preocuparte otras cosas, muchacho. Ve preparando tu equipaje. Saldrás mañana al amanecer.

19

Cristina tiembla como un bebé. Trata sin éxito de establecer conexión con su móvil, pero al igual que le pasa al resto, no puede. Está sentada en la cama de debajo de la litera donde duerme Gema. Está de rodillas a sus pies tratando de calmarla. Esther se ha despertado ante tanto ruido. Su cara no es de hacer amigos. Mira a la chica y después a Gema. Sin decir nada, vuelve a tumbarse y, dándose media vuelta, se tapa con la manta.

—¿Quieres un café caliente? Te vendrá bien.

—¡Necesito llamar a mi madre! ¿Alguien puede darme un móvil que funcione?

—No hay cobertura, estamos igual que tú. Vamos a traerte ese café y ahora hablaremos contigo. Te recomiendo que te duches y te cambies de ropa. Enseguida sabrás qué ha pasado. Yo estaré contigo.

—¿Quiénes sois?

—Soy cabo del ejército. Puedes estar tranquila. Los demás son peregrinos, igual que tú. Coge la mochila y vamos al baño.

La chica, más serena, obedece y la acompaña. Ambas salen de la habitación ante la pasividad de Esther. El perro de Vicente le sale al paso y olfatea a la nueva integrante del grupo. Se restriega contra su pierna como si fuera un gato y desaparece correteando por el pasillo.

Gema abre el grifo para que vaya saliendo el agua caliente. Enseguida se llena todo de vapor y Cristina agradece esa agradable sensación. Las dos se quedan dentro, cerrando la puerta.

Vicente sigue atento a los alrededores, pero todo parece tranquilo. Está claro que si algún peregrino se acerca al lugar, correrá la misma suerte que el resto. Las oscuras cuevas de la montaña serán su destino. Hasta que Él quiera.

Tras unos minutos, la puerta del baño se vuelve a abrir y Gema sale con Cristina. Parece otra persona: el pelo ensortijado ha pasado a ser una melena lisa y castaña, y su cara anteriormente ennegrecida por el barro ahora es la de una dulce chica. Pero su gesto sigue siendo de preocupación. El café caliente la espera en la cocina junto al resto de la bollería por si quiere comer algo. Se sienta en la mesa junto a Chon. Los demás están de pie, observando.

La chica pone las manos en la taza para entrar en calor. Bebe un sorbo y agradece el sabor. Por fin, parece algo relajada. Mira a Chon y le da la mano en señal de agradecimiento.

—¿Te encuentras mejor? —pregunta la anciana.

—Sí, muchas gracias por su hospitalidad. ¿Alguien puede ayudar a mis amigos? No andarán muy lejos.

—Ahora no es el momento de acudir en su busca. Están en un lugar donde nadie puede acercarse, y menos nosotros. Te quedarás aquí hasta que todo esto pase. ¿Confías en mí? —Chon trata de transmitirle confianza con su voz.

—Ha sido muy amable conmigo, pero ahí fuera está Mauri, herido. ¿Podríais al menos traerlo a la casa?

—Tu amigo no ha superado las heridas que le han propinado esas bestias, lo siento. Es mejor que se quede donde está. Yo misma lo taparé con una manta.

Cristina comienza a llorar desconsolada. Hace un amago de levantarse para ir en busca de su amigo, pero PJ lo impide. Vicente mira a través de la cortina y descubre sorprendido que el cadáver ya no está allí. Los lobos lo han arrastrado hacia el interior del bosque. Sin embargo, los animales muertos permanecen en el mismo lugar.

—¡Joder, éramos amigos desde hacía años! Una de las chicas que ha desaparecido es su novia. ¿¡Qué coño está pasando!? —Cristina se levanta de manera brusca.

—Mañana habrá acabado todo y podréis marcharos. ¿Crees en Dios? —pregunta Chon.

—¿A qué viene esta pregunta? Soy cristiana porque estoy bautizada, pero no he pisado una iglesia desde que me obligaron a hacer la comunión. Pero sí, creo que hay un Dios ahí arriba.

—Muy bien. Entonces creerás en el demonio, ¿no?

—Todo esto me está dando miedo. ¿Qué vais a hacer conmigo?

—Salvarte la vida. Lo que has visto ahí fuera es solo una demostración del poder que tiene el maligno. Pero puede hacer mucho más. Sé que todo esto te sonará a la fantasía de una pobre vieja loca, pero la realidad es bien distinta. Ellos pueden decirte. —Señala con la cabeza a Gema.

—Mira, no me preguntes cuál es el origen de todo esto, pero te aseguro que he visto cosas que jamás podré olvidar. Y soy la más atea del mundo. —Los ojos de Gema no albergan mentira.

El silencio se apodera del lugar. Cristina mantiene la mirada perdida tratando de asimilar lo que le están diciendo. No logra entender cómo ha podido ocurrir todo tan rápido. Hasta hace una hora caminaba junto a sus amigos por el barro del camino, y ahora uno de ellos está muerto y el resto no se sabe dónde. Su cabeza es una noria que gira a una velocidad endiablada.

Apura su café sin comer nada. Más tranquila, repara en el lugar donde está: la cocina es bastante vieja, y los fogones de hierro están detrás de la mesa. Una nevera ronronea a su lado y justo enfrente se alza una pila oxidada con un grifo donde cada cierto tiempo cae una gota de agua. Sobre la mesa, unas cuantas piedras están al lado de la vieja posadera. Mira a los ojos de Chon, que comprende lo que le quiere decir.

—Son nuestra protección. Me acompañan desde que era una cría. Gracias a ellas, estás aquí con nosotros. Él no ha podido alcanzarte al estar a mi lado.

—¿Es usted médium? —pregunta una confundida Cristina.

—No, querida. Nací con un don, y desde que tengo uso de razón ayudo a los demás. Ahora trato de salvaros la vida a todos. Pronto habrá acabado.

—¿Puede ver lo que va a pasar en esas piedras?

Chon acerca las piedras a sus arrugados labios y, tras susurrar unas palabras, las suelta sobre la mesa ante la mirada atenta de los presentes. La vieja estudia minuciosamente la posición de cada una y tuerce el gesto. Mira a Vicente, que le sostiene la mirada con frialdad.

Con esfuerzo, se pone en pie y camina unos pasos hasta asomarse a la ventana. De pronto se le ha oscurecido el rostro: las piedras han hablado, y no para bien.

—¿Qué ha visto? —insiste Cristina.

—Muerte. Dolor. Uno de nosotros no lo conseguirá.

Todos callan. Un escalofrío recorre la espalda de Gema al escuchar las palabras de la posadera. Acaricia dentro de su bolsillo el amuleto que le regaló. Por momentos, se olvida de su fusil, de su entrenamiento militar y de todo lo vivido hasta ahora en sus misiones. Algo dentro de ella se está despertando, y cada vez cobra más fuerza.

PJ sabe que quizás sea él la persona que no pase de esta noche. Aunque la mirada de Chon esté perdida más allá de la montaña que ensombrece el valle donde se encuentran. Sale de la cocina en busca de Esther. Llega a la habitación y se la encuentra sentada en la cama. Mira hacia la puerta como si supiera que alguien iba a entrar. Tan solo lleva puesta la ropa interior y un jersey. PJ se ruboriza al ver las bonitas piernas de su chica. Se sienta a su lado y sonríe. La coge de la mano.

—¿Sabes qué está pasando?

—Aunque no esté con vosotros, soy consciente de todo. Esa vieja tiene el tono de voz demasiado alto. Creo que no deberías de hacerle caso. Trata de asustarte, aunque no sé con qué fin. Te digo lo mismo que cuando conocimos a Toro: si quieres, nos vamos tú y yo en busca de ayuda. Aquí dentro estamos perdiendo el tiempo.

—Esther, si pongo un pie ahí fuera será mi final. Y quiero irme a casa, no aguanto más.

—Pero estás protegido, ¿no? Prepara tus cosas, que nos vamos.

PJ duda un instante. Las palabras de Esther suenan convincentes, aunque ha visto con sus propios ojos lo que son capaces de hacer esas bestias. Pero sobre todo, Él. El miedo lo atenaza y no es capaz de pensar con claridad. Esther sonríe de una manera extraña. Desde que llegaron al albergue se comporta de manera diferente. No parece la misma persona.

—Creo que deberías coger el arma de Gema. Ya sé que no se separa del fusil ni para mear, pero podrías aprovechar la noche. En cuanto la tengas podremos marcharnos.

—¿Para qué la quieres? ¿Se te ha ido la cabeza?

—Contra ese hombre no pueden las balas, pero para abatir lobos nos vendría muy bien. Además, ella no puede ni verte. Ya me lo comentó durante el camino viniendo hasta aquí.

—¿En serio? ¿Pero qué te ha dicho?

—Que eras un cobarde y un inconsciente. Que por tu culpa casi se nos llena la casa de lobos en O ´Cebreiro.

PJ no sale de su asombro. Pensaba que contaba con el apoyo del grupo. Se queda mirando a Esther con gesto serio. Tras unos segundos pensando, reconsidera sus palabras.

—Sigo pensando que no es buena idea salir de aquí, Esther. Dime por qué quieres que nos marchemos solos.

—Lo primero, ese gordo cabrón no se espera que tomes esa decisión. Creerá que aguardarás en este chamizo pensando en que la vieja te protegerá. Para cuando pueda reaccionar estaremos muy lejos de aquí. En casa.

—Suena bien, desde luego. El problema será convencer a los demás.

—PJ, los demás no son ni tus padres ni tus jefes. Tienes que hacer lo que te dé la gana y dejar de pensar en ellos. —La voz de Esther suena cada vez más grave.

—Vale, sí. Solo tengo que encontrar el momento adecuado para decirlo.

—No lo dirás. Lo harás y punto. Prepara las cosas, te he dicho ya dos veces.

PJ no termina de estar del todo convencido, pero obedece sin más. Mete dentro de su mochila la poca ropa que tiene esparcida por la cama y lo deja todo ordenado. Esther se levanta y se quita el jersey. Tan solo lleva puestas ahora unas braguitas y su torso desnudo no deja indiferente al muchacho. Ella le sonríe y le coge las manos. Se las acerca a los pechos dejándose tocar mientras clava su mirada en sus ojos. PJ tiembla. Enseguida nota cómo la piel se le eriza y el corazón se le desboca. Esther lo nota, y se aproxima a su oído para susurrarle unas palabras:

—Quiero follarte, chaval.

PJ no puede aguantar lo que siente y la besa. La chica, poniendo un dedo entre ambos labios, lo impide mientras sonríe de manera seductora. Se separa de él un par de metros y hace el amago de quitarse lo que le queda de ropa. Prácticamente está desnuda frente a PJ.

—Aquí no puede ser. Pero puedes irte preparando para cuando lleguemos a tu casa —sonríe.

Acto seguido, recoge su ropa y se mete en el baño dejando al muchacho al borde del infarto. Este trata de calmarse, pero le resulta complicado. El mero hecho de verse con ella en su cama hace que le hierva la sangre. Mira a su alrededor y se siente ridículo. Termina de coger un par de cosas y sale hacia la cocina. Se encuentra con Gema y Cristina, que hablan tranquilas. Chon está sentada a la mesa, sin mediar palabra. Sus ojos están fijos en el viejo mantel. Gema lo mira extrañada al verle portar su mochila. Se acerca a PJ y lo aparta a un rincón.

—¿Qué haces? ¿No estarás pensando en marcharte?

—Esther y yo nos vamos. Creo que os estamos poniendo en peligro de manera innecesaria.

—¿Te has vuelto loco, PJ? En cuanto pises ahí fuera sabes que irá a por ti. Ni siquiera las piedras podrán salvarte.

—Él me quiere a mí, no a vosotros. Y tampoco se espera que haga esto. Saldrá bien, Gema. No te preocupes.

—Vicente no te lo permitirá. Pero tú mismo. Eres libre, como es lógico.

—Despídeme de los demás. Espero verte en otras circunstancias. —PJ le sonríe, nervioso.

Gema no dice nada. Mira a los ojos del muchacho tratando de encontrar la verdadera razón por la que se va. Lo único que distingue con claridad es miedo. PJ rebosa miedo por cada poro de su piel.

Esther aparece por el pasillo portando su mochila. La salida del albergue parece inminente. Chon parece en trance y no se ha dado cuenta de lo que está ocurriendo. Gema la mira de arriba abajo frunciendo el ceño. Esther no rehúye la mirada. La tensión se palpa en el ambiente.

—Si salís por la puerta estaréis solos. No hay móviles ni gente. Si necesitáis ayuda, nunca lo sabremos. Sois conscientes de ello, ¿verdad?

—Perfectamente. Antes de que Él pueda darse cuenta, estaremos de camino a Madrid. Y vosotros seréis por fin libres para poder reuniros con los vuestros.

—Es una locura, pero si así lo habéis decidido… —Gema se dirige a PJ y le acaricia la mejilla—. Ten cuidado.

—Estaremos bien. De alguna manera, os haré saber que lo conseguimos.

Gema mira hacia el pasillo para comprobar que Vicente no viene. Se acerca a la puerta que da salida a la calle y la abre con cuidado. Esther sale la primera sin mirar lo que tiene a su alrededor. Se la ve demasiado tranquila. Antes de que PJ abandone la casa, Gema lo agarra del brazo y le pone algo en la mano. Él lo mira y comprueba que es su cuchillo militar. Ella le pide silencio con el dedo. PJ asiente con la cabeza.

—No te fíes de nadie. Ni de ella. Que nos volvamos a ver.

—Lo haremos. Gracias.

Los dos comienzan a caminar en dirección a Ponferrada. Todo parece tranquilo por los alrededores. Los árboles se mecen al son del viento que en ese momento comienza a soplar por los montes del Bierzo. La veleta en forma de lobo que adorna el tejado del albergue gira de manera intermitente emitiendo un siniestro chirrido.

Gema no pierde de vista a la pareja hasta que desaparece del todo. Repara en la puerta del cobertizo, que está abierta de par en par. Extrañada, se acerca para comprobar si todo va bien. Pasa junto a los cadáveres de los dos animales que ella mismo abatió hará unos minutos. Baja su fusil del hombro y, con cuidado, se asoma dentro del cobertizo. La oscuridad la recibe. Apenas puede ver, salvo por los rayos de sol que se cuelan por las irregularidades de la madera. Huele a podrido ahí dentro.

Sale de nuevo al exterior para tomar aire fresco. Algo no le cuadra y un mal presentimiento le perturba la mente. Hace el amago de salir corriendo en busca de PJ, pero enseguida se siente vulnerable. Un crujido de ramas la pone en alerta y varios pájaros salen volando de manera repentina. Apunta con su fusil en varias direcciones, muy nerviosa. Apenas repara en que no tiene el arma cargada.

Mira hacia la montaña con el deseo curioso de saber dónde se esconde ese malnacido. Comprueba que tiene la piedra en el bolsillo y se siente importante. Por primera vez, le da más importancia al talismán que al plomo de sus balas. Observa en el suelo embarrado las pisadas de los lobos, así como las de las personas que acompañaban a Cristina en su peregrinar a Santiago. Decide seguirlas para ver dónde se pierde el rastro.

Las huellas continúan hasta las piedras que comienzan a dar forma a la falda de la montaña. Allí el barro es sustituido por roca pura. El terreno es escarpado y complicado para poder acceder con normalidad. Un pequeño camino formado por la erosión facilita un poco el paso. Gema se acerca y anda unos metros por él. Algo dentro de ella la hace detenerse. Sabe que no es una buena idea.

Despacio, retrocede paso a paso hasta llegar a la puerta del albergue. Camina dándole la espalda a la casa para no perder de vista la profundidad del bosque. Una mano se le posa en el hombro haciéndole soltar el arma. Gema se agarra el pecho del susto.

—Tranquila, mujer. No pretendía asustarte. —Vicente le sonríe de manera dulce.

—Se han marchado. Y lo he permitido. Lo siento mucho, no debí haberlo hecho.

—No te hagas mala sangre. Si se han marchado, será porque así lo tenían marcado en su destino. Chon ya lo vio anoche.

—Pero vio muerte, Vicente. ¡Les he dejado ir hacia su tumba!

—Él se dará cuenta de lo que pasa. Y sabrá qué hacer. Volvamos a la casa porque no todo ha terminado aquí.

Vicente abre la puerta. Gema recoge su fusil y entra con él. El portazo retumba en la cabeza de la militar. Se sienta tras la madera dejándose caer al suelo. Se rodea la cabeza con ambos brazos en un gesto de desesperación. Cristina se acerca, pero Vicente se lo impide. Prefiere que se desahogue sola.

Está entrenada para nunca dejar atrás a ningún compañero en peligro. Y, por primera vez, está faltando a su juramento.

20

Esther y PJ dejan atrás el último punto kilométrico que marca la carretera. Van en sentido contrario a como deberían ir si quisieran llegar a Santiago. Un par de camiones pasan rozándoles y PJ trata de hacerles señales para que paren. Su esfuerzo es en vano. Sabe que será difícil que alguien les atienda.

Esther camina tranquila. Desde que salieron de Villafranca del Bierzo no ha vuelto a hablar. Su mirada está perdida en el camino, como si estuviese ausente de la realidad que la rodea. No parece cansada, ni que le afecte lo que están viviendo. El sol está en lo más alto y empieza a molestar. PJ se detiene un instante para buscar agua en su cantimplora, pero se da cuenta de que salieron con tanta prisa que olvidó preparar sus cosas. Maldice por lo bajo. Esther esboza una sonrisa.

—¿Te queda agua? —pregunta PJ mientras trata de encontrar algo en su macuto.

—No. Nos fuimos con lo puesto. No podremos beber hasta que lleguemos a Ponferrada. Tendrás que aguantar.

—Dios, tengo la boca como un desierto. ¿No hay nada antes de llegar? Saca el plano que tenías.

Esther se descuelga la mochila y, apartándose al margen de la carretera, rebusca dentro. Enseguida saca el arrugado papel y, tras tratar de alisarlo un poco, lo estudia con detenimiento. Va marcando varios puntos en el mapa con el dedo, mientras balbucea algo ininteligible para PJ.

—Estamos a punto de llegar a Cacabelos. Nos quedan unos cuatro kilómetros. Allí nos avituallaremos en condiciones y seguiremos a Ponferrada.

—Menos mal. —PJ resopla aliviado.

Tras recoger el mapa, emprenden de nuevo la marcha. Salen de la carretera para seguir por un sendero donde la vegetación es cada vez más abundante. Al cabo de unos minutos, el inconfundible sonido de un río se hace presente. PJ se aproxima hasta el margen para contemplarlo. Un viejo cartel de madera clavado en la tierra indica su nombre: río Cúa.

El muchacho deja la mochila y se agacha para recoger algo de agua con sus manos y se refresca la cabeza. De buena gana bebería, si no fuera por las consecuencias de hacerlo. El sentido común le recomienda esperar hasta llegar al pueblo. Esther lo observa en la distancia.

Al levantar la cabeza se percata de la presencia de un hombre en el otro margen del río. Se trata de una persona mayor. Su pelo canoso asoma bajo una boina negra. Su tez morena marcada por el sol cuenta que es una persona de campo. Levanta el brazo en señal de saludo. PJ le responde, pero Esther ni pestañea.

—Buenos días, señor. ¿Cuánto queda para Cacabelos?

—Lo tienes a tiro de piedra —vocifera el señor con un marcado acento gallego—. *Tiés* que seguir el margen del riachuelo y enseguida estarás allí. No tiene pérdida.

PJ se seca las manos en el pantalón y recoge su mochila. El viejo se queda mirando a Esther con gesto serio. Acto seguido, comienza a caminar hasta adentrarse en la maleza del monte que lo rodea todo.

Prosiguen la marcha y tal y como había indicado el paisano. Cacabelos se presenta frente a ellos. Varias fábricas están construidas en las afueras, pero parecen cerradas en ese momento. Un poco más adelante puede verse el cementerio municipal: es muy pequeño y está cerrado por paredes de piedra. Un porche de madera está situado en la entrada del camposanto. Varios panteones familiares asoman entre sus muros.

—Lástima que esté cerrado. Siempre me gustaron los cementerios de los pueblos —comenta PJ mientras observa las cruces que sobresalen.

—Ahí dentro solo hay huesos y gusanos. Sigamos de una vez.

Esther ha empleado un tono bastante desagradable. PJ no entiende el cambio de actitud que está tenido con él, pero prefiere no decirle nada. Sin mediar palabra, siguen avanzando, dejando a la derecha otro río: el Sil.

Siguen por caminos de tierra, dejando atrás las flechas amarillas que deberían seguir. Alguna casa aparece a los lados de la carretera, pero no ven ningún bar o posada donde pedir algo de beber.

Según avanzan, cada vez hay más civilización. Numerosos chalets y casas bajas les salen al paso. A lo lejos se distingue un cartel: Casa Mero. PJ aprieta el paso, pero enseguida nota el dolor de su rodilla. En estos momentos le vendría genial la pomada de la vieja de Los Lobos. En el número setenta y cinco de la calle San Roque por fin encuentran lo que buscan.

PJ no lo duda y entra. Se encuentra con una postal desoladora: una barra de bar de madera desgastada está situada frente a cuatro mesas cochambrosas. Una máquina tragaperras de los años noventa está al fondo. Permanece apagada. Un panel de dardos y un futbolín antiguo completan la estampa. Al cabo de unos segundos sale una señora de aspecto rudo: lleva el pelo recogido de cualquier manera y un mandil blanco con manchas de todos los colores. Los mira a los dos de arriba abajo sin disimular.

—¿Qué va a ser? —pregunta la mujer.

—¿Vendes agua embotellada? —pregunta un sediento PJ.

—Algo queda. Pero no está fría, aviso. Son las de litro y medio.

—Trae un par de ellas, por favor.

La mujer hace una mueca de desagrado y se mete en la cocina. Esther se sienta en una de las mesas y pone las piernas sobre una de las sillas. Al cabo de unos segundos, la mujer aparece con las botellas y las deja frente a PJ. Mira de reojo a Esther con cara de pocos amigos.

—Son tres euros, chico. ¿Vais a comer?

—Sí, tomaremos algo. ¿Puedo hacerle una pregunta?

—Si no es muy difícil... —La mujer levanta las cejas.

—¿Están pasando muchos peregrinos en estos días por aquí?

—A decir verdad, sois los primeros que vienen hoy. Y es raro, porque esto es lo único que está abierto en todo el pueblo, y además tengo sello para la credencial. Suelen venir bastante. Tampoco está ayudando el tiempo: anoche cayó una tormenta muy fuerte. No recordaba una así desde que era pequeña.

—Sí, llovió muchísimo. ¿Tienen teléfono? Porque los móviles no nos funcionan.

—Hay una cabina en el centro del pueblo, pero aquí no. No hay cobertura en toda la comarca. El chico que lleva el tema de las antenas dice que la tormenta ha estropeado no sé qué del repetidor. O eso es lo que le he entendido. Internet tampoco hay.

PJ mira a Esther al escuchar a la señora. Ni pestañea. Coge una carta de la barra y ojea el menú del día. Es variado, y bastante barato. El estómago le ruge al leerlo.

—Nos sentaremos en esa mesa. Una última pregunta: ¿ha notado algo raro estos últimos días?

—No te entiendo, hijo. —La mujer mira las cicatrices del brazo y la frente del chico—. Parece que te han dado una paliza.

—Es una larga historia. Me refiero a si han dicho algo en la televisión sobre los ataques de los lobos. ¿No se ha enterado?

—No sé nada. —La mujer calla un momento y levanta la mirada hacia el techo, pensativa—. Bueno, a decir verdad, ayer por la tarde, antes de que viniese la tormenta, entró un grupo de chicos a comer. Venían de Ponferrada. Una de las chicas me comentó que en un pueblo de la zona habían atacado a la dueña de un albergue. Por lo visto, se habían encontrado con una patrulla del SEPRONA y les había advertido. Pero por aquí no se han visto lobos, ni corderos. —La mujer suelta una risotada que retumba en todo el local.

—Eso ya lo sabíamos. Queremos dos bocadillos, de lo que sea. Tenemos algo de prisa.

—Pues ahora mismo vienen. ¿Os gusta el embutido?

—Claro. Con eso bastará.

La mujer vuelve a la cocina. Está sola en el local y tiene que estar en todo. PJ se sienta junto a Esther, la cual ha cerrado los ojos. En cuanto siente a su compañero, lo mira y sonríe. Entrelazan las manos. PJ respira más tranquilo. Está empezando a sentir cosas por ella y no quiere que todo se vaya al traste.

—Los lobos no vendrán aquí. Ya tienen suficiente trabajo custodiando a tus amigos.

—¿Ya no son tus amigos?

—Sinceramente, nunca lo fueron. Los acabamos de conocer, y dudo mucho que volvamos a verlos.

—Tú y yo no es que nos conozcamos de mucho más tiempo. Pero bueno, no quiero discutir. No sé qué te pasa, pero desde que llegamos al albergue de Chon estás irreconocible.

—No me gustaba estar en ese lugar. Eso es todo.

La dueña del local sale con dos bocadillos de media barra. El chorizo y el queso sobresalen por los laterales del pan. PJ los mira y se le hace la boca agua. Se los dejan en la mesa y la dueña se queda mirando a la pareja.

—¿De beber qué os traigo? Frío solo tengo refrescos.

—Trae dos de naranja. Gracias.

—Qué curioso. Nos conocimos en una situación muy parecida. ¿Lo recuerdas? —PJ suspira.

—Sí, como para olvidarlo.

PJ coge el bocadillo y le pega un buen bocado. Tiene mucha hambre y no puede disimularlo. Esther, sin embargo, mira fijamente a la señora, que pasa un paño por el mostrador. Tras recogerlo todo, se pierde dentro de la cocina. Esther se levanta.

—Voy a pagar y a preguntarle una cosa a la mujer sobre la zona. —Saca el plano de su mochila—. Ve comiendo.

Se mete detrás de la barra y, sin hacer ruido, pasa a la cocina donde encuentra de espaldas a la señora. A pesar de lo descuidado del local, la cocina está impoluta. Todo recogido y con olor a limpio. La tabernera se afana en barrer restos de migas del suelo. Al darse la vuelta se sobresalta al ver a la joven, a la que no se espera.

—¡Qué susto me has dado, muchacha! ¿Necesitas algo?

—El bocadillo tiene buena pinta, pero creo que lo dejaré para otro momento. Ahora me apetece comer otra cosa.

—Pues te preparo algo de la carta. Está todo recién hecho. ¿Qué te apetece, chiquilla?

Esther deja el plano sobre la encimera metálica donde varias cajas de huevos reposan. A su lado, un cuchillo grande con el que ha cortado el pan. Lo coge sin disimular y mira su filo con atención. La señora se inquieta al verla, pero no pierde la calma. Esther extiende el plano y con la punta del cuchillo señala la parte recorrida del camino.

—Acérquese. Necesito saber si vamos en la buena dirección.

La señora se acerca sin quitar ojo al cuchillo. Mira el plano y después a los ojos de Esther, que brillan de una manera inusual.

—¿Adónde vais? —pregunta la señora con voz temblorosa.

—Ponferrada.

—Pero eso es sentido contrario. ¿No sois peregrinos?

—Yo no.

Esther levanta la hoja del cuchillo y le corta la garganta a la mujer, que, sin poder emitir un solo ruido, se pasa la mano por el cuello tratando de contener la vida que se le escapa. Un gorgoteo sale de su boca que se llena de sangre, manchando el plano. Esther se aparta de ella y deja el cuchillo en la encimera. Coge un vaso y lo pone debajo de la herida. Poco a poco se va llenando de una sangre negruzca, propia de una arteria. Bebe con gusto.

La mujer permanece tumbada, sin vida y con los ojos abiertos. Esther, procurando no mancharse, se le acerca a la cara y termina de lamer los restos de sangre que han quedado en el cuello. Se recrea en su sabor. Después, se mira en un pequeño espejo que la mujer tiene en la cocina para comprobar que no tiene manchas en la cara. Abre el grifo y se lava las manos y el rostro para asegurarse.

Al salir al salón, se encuentra con PJ terminando el bocadillo. Trae un refresco y un vaso. Se sienta junto a él.

—Has tardado mucho, ¿no?

—La señora habla demasiado. Me ha dicho que tenía que acercarse a su casa a por hielo. Vive aquí encima. Ya le pagué, por cierto.

—¿No comes?

—Ahora no tengo cuerpo. Lo guardaré y, si me apetece, más tarde comeré algo. Bébete eso y larguémonos de aquí.

PJ apura su vaso y, tras guardar las dos botellas de agua en su mochila, se levanta satisfecho con la comida. Esther coge la suya y caminan hasta la puerta. PJ se percata de que ella no ha salido con el plano.

—¡Te dejas el plano! Espera, que voy a por él.

—¡No! —Esther agarra por el brazo a PJ con fuerza—. Lo extendí para mostrarle donde estábamos y se ha llenado de grasa. Lo tenía todo lleno de mierda, la muy cerda. Lo he tirado.

PJ se zafa del brazo y se mira. Le ha dejado los dedos marcados. Visiblemente molesto, comienza a andar calle abajo sin esperar a su compañera, que sonríe ante la inocencia de PJ.

Esther se vuelve hacia el principio de la calle, donde un lobo permanece escondido tras unos contenedores de basura. Sus ojos brillantes lo delatan. La chica comienza a caminar, sonriendo. Ambos desaparecen para alcanzar la carretera en dirección Ponferrada.

A los pocos minutos, Toro entra en el bar. Tiene hambre, y su comida le aguarda en la cocina. Es insaciable.

21

Villafranca del Bierzo. Albergue Los Lobos.

Chon no deja de dar vueltas por el salón. La noticia de la marcha de los chicos la ha trastornado y no para de maldecir por lo bajo. Juguetea con sus piedras dentro de los bolsillos de su roída bata. De vez en cuando se detiene para mirar por la ventana. Por primera vez, se siente insegura.

Gema contempla la escena sentada junto a Cristina. Sigue disgustada por haber permitido su marcha. Su instinto la empuja a salir a por ellos, pero sabe que es una misión sin posibilidad de regreso. Una mano le acaricia el pelo. Es Vicente. Ambos se miran.

—¿Crees que lo conseguirán? —pregunta la militar, nerviosa.

—No lo sé. Él tiene la piedra, debería ser suficiente con eso. —Vicente mira de reojo a Chon, que sigue con sus paseos.

—El problema no es ese. El chico está sentenciado si no hacemos algo ya. ¿¡Pero cómo se os ocurrió dejarlos marchar!? —Chon se detiene dando un golpe en la mesa.

—Nosotros no podemos movernos de aquí. Nos atacarían sus lobos.

—Ya no, cabo. Él ya les está siguiendo el rastro. Digamos que alguien le está dejando miguitas de pan.

—¿A qué se refiere? —pregunta Gema, confundida.

—Habéis estado con Él en todo momento y no os habéis dado cuenta. Pero no os culpo por ello. ¿Quién puede percatarse de algo así?

—No la estoy entendiendo.

—Pues yo creo que sí —interrumpe Vicente—. Lo que Chon quiere decir es que la chica que conoció al empezar el camino es una de ellos.

—¿Esther? ¿A qué te refieres con una de ellos? —Gema trata de asimilar lo que acaba de oír.

—Caza para Él, como sus lobos. Elige la víctima más propicia y se la sirve en bandeja. PJ se cruzó en su camino en el peor momento, porque su verdadera intención era acabar con Vicente; por eso regresó a este lugar. Cuando vinieron a pedirme alojamiento aquel día, enseguida noté algo extraño en ella. Al percibirlo quise protegerlo, como os conté. Ese hecho le trastornó todos los planes, ya que el poder que ejerce el amuleto contra Él es muy grande. Sin embargo, a ella no le afecta.

—¿Hemos estado conviviendo con un demonio todo este tiempo? —Gema no sale de su asombro.

—Al principio, mis piedras me hablaban, pero no lograba interpretar lo que querían decirme. Hasta hoy. Quizás sea tarde para él. Sé que ha hecho un sacrificio por nosotros marchándose. Esa generosidad quizá lo salve.

—Quiero largarme de aquí. Todo esto me parece una broma de mal gusto y me estoy acojonando. —Cristina se levanta, muy nerviosa.

—Puedes hacerlo si así lo deseas, niña. Podrás reunirte con tus amigos. Ya estarán libres de los efectos de ese demonio. Poco a poco, el pueblo volverá a la normalidad y no recordarán nada. Al menos, eso espero.

—¿¡Y Mauri!? ¡Lo atacaron esas bestias!

—Se quedará en otra desgracia del Camino, como la de los demás. Cada año desaparece gente en todas partes y este lugar no iba a ser menos. ¿O acaso les contarás lo que ha pasado? Nadie te creería, hija. Marcha hacia tu destino, y trata de olvidar.

En ese instante, suena el timbre de la puerta. Gema pega un grito que se ahoga entre la vieja madera del albergue. Vicente la calma acariciándole el pelo. Él mismo se levanta y acude a ver quién es. La mirilla le chiva que se trata del grupo de Cristina. Abre la puerta mostrando toda la tranquilidad del mundo.

—¡Hola! Necesitamos ayuda. Nos hemos desorientado y hemos perdido a dos de nuestro grupo. Un chico y una chica.

Cristina se asoma y enseguida se acercan a abrazarla. Se sorprenden al verla aseada y con una bata que le prestó Chon para no pasar frío.

—¿Qué haces aquí? ¿Está contigo Mauri? —pregunta la chica, que es su novia.

—No está aquí. —Cristina dudas si seguir hablando, pero mira de reojo a Chon, que la observa sin moverse—. Esta gente me trajo aquí porque me vieron andar sin rumbo por los alrededores. Si no aparece, deberíamos llamar a la Guardia Civil.

Su amiga se echa a llorar y es abrazada por Cristina. Esta se vuelve un momento y entra en la casa. Le devuelve la bata a Chon y recoge sus pertenencias. Sale del albergue y, tras mirar una última vez hacia la casa, levanta la mano en señal de despedida.

—Gracias por todo.

—Aquí siempre tendrás una casa. —Chon sale a despedirla.

El grupo comienza a caminar hacia el interior del pueblo en busca de ayuda. En ese momento aparece un hombre saliendo de la maleza que rodea el albergue. Se trata de un vecino del pueblo. Tras él, varias personas también de la zona se hacen visibles. Todos están hechos una pena. Ropa sucia y cara desorientada. Tal y como ha dicho la vieja posadera, el hechizo de Toro ha desaparecido.

Los móviles comienzan a sonar. Un aluvión de mensajes y llamadas perdidas llega al unísono al regresar la cobertura. Gema coge su teléfono y comprueba aliviada que sus compañeros la están buscando. Están por la zona.

—¡Tengo a mi brigada en León! Estoy recibiendo mensajes de mi superior. ¿Y ahora qué les digo?

—Diles que sufriste un ataque y que te encontramos malherida. No estamos lejos de donde teníais la tienda de campaña. —Vicente trata de tranquilizarla.

—Se me da fatal mentir. No estoy acostumbrada.

Suena su móvil.

—¿Sí?

—¿Cabo Barbero? ¿Dónde te encuentras? Llevamos dos días sin saber de ti ni de tu compañero.

—¡Sargento! Le pido mil disculpas. Sufrimos un ataque por parte de una manada de lobos y destrozaron el campamento. Yo desperté en un albergue en un pueblo de León, a pocos kilómetros de nuestra ubicación. De mi compañero no sé nada.

—Gema aprieta los puños de pura rabia.

—Entendemos. Danos tu posición y mando a una unidad para que te recojan. Tengo un *jeep* que va hacia donde estabais apostados, en O 'Cebreiro. ¿Qué pasó con tu *walkie*?

—Lo perdí en el ataque. Le mando mi ubicación por el GPS del teléfono. Aquí le espero.

—Recibido. Llegaremos en unos diez o quince minutos.

Gema cuelga y mira a Vicente. En el fondo le da mucha pena que todo acabe aquí. Lo que ha vivido en las últimas horas jamás podrá olvidarlo. Le agarra las manos y dos lágrimas se le escapan sin poder evitarlo. El hombre le abraza para que se desahogue a gusto. Solloza como una chiquilla.

—Supongo que volverás por estas tierras. Si lo haces, no dudes en pasarte por mi cabaña. Siempre serás bienvenida.

—Si lo hago, lo haré de civil. Cuando regrese a la Base presentaré mi renuncia.

—No hagas eso. Tu vocación militar es fuerte. No dejes que todo esto acabe con tu sueño.

—He visto cosas que escapan a toda lógica, Vicente. Necesito reflexionar un tiempo.

—Esto no ha acabado todavía. Espero que tus compañeros no tarden demasiado en venir —interrumpe Chon.

La posadera vuelca las piedras sobre la mesa y hace una última lectura. Sin recogerlas, se dirige al mueble del salón y abre uno de los cajones. Saca un colgante con un llamativo pentagrama. Encerrada dentro de un círculo hay una estrella de cinco puntas. Parece de plata y está muy desgastada. Se nota que tiene años. Chon se acerca a Gema y se la abrocha al cuello. Sonríe.

—Llevaba mucho tiempo encerrado. No tengas en cuenta su estado, por favor. Este pentagrama te protegerá siempre que lo lleves contigo. Cuando una persona común y corriente lo lleva, puede abrir la mente para visualizar cosas extraordinarias, además de protegerla de malvadas influencias o brujerías. Pero ojo: jamás lo utilices con la punta hacia abajo, porque su efecto sería justo el contrario.

—Muchas gracias, Chon. Ha sido un placer conocerla. Voy a ducharme antes de que vengan a por mí. Quiero estar decente, al menos.

Gema se mira el colgante en el espejo del pasillo. A pesar de parecer muy antiguo, su reflejo parece intacto. Después, entra al baño.

Chon se sienta en el sofá, visiblemente cansada. La edad no perdona, y la intensidad de sus visiones ha hecho mella en la vieja posadera. Los ojos hundidos en su arrugado rostro reflejan la incertidumbre y el miedo por PJ. Ya está lejos de su protección y eso la consume. Ella sabe que no podrá ayudarlo, pero guarda esperanzas hacia Gema. Los pensamientos la conducen a un profundo sueño. Vicente le echa una manta por encima y se sienta a su lado. El silencio solo es roto por el ruido que hace el agua al caer al plato de ducha.

Tras unos minutos de relajación suena el timbre. Vicente se sobresalta y mira la hora. Se da cuenta que él también se ha dormido. Maldice por lo bajo. Se apresura a abrir para evitar que vuelvan a llamar y despierten a Chon. Necesita descansar. Abre la puerta sin mirar quién es primero. Dos hombres uniformados se presentan ante él; uno le hace el saludo militar y extiende su mano. Vicente le corresponde. El perro del ermitaño sale de la casa para olfatear a los militares. Satisfecho, se tumba a la entrada del albergue.

—Buenas tardes, señor. ¿Está nuestra compañera Gema en esta vivienda? —pregunta el militar.

—Oh, sí. Claro. Enseguida sale. Se estaba duchando. Pero pasen, hombre, no se queden ahí.

Vicente se aparta y los dos entran. Ven a Chon dormitando en el sofá. No articulan palabra. Vicente identifica el rango de ambos: sargento y cabo primero.

—Siéntense. ¡No cobramos a nadie por ello! —Vicente suelta una risotada mientras señala las sillas que hay junto al sofá.

—Muchas gracias, señor, pero nos iremos en cuanto la cabo Barbero esté lista. ¿La encontraron ustedes?

—Sí. Tuvo mucha suerte. Solo fue un golpe en la cabeza y alguna magulladura. Pero está perfectamente. —Vicente adultera los datos para seguir con la coartada de Gema—. ¿Saben qué está pasando?

—Estamos desbordados. Hemos recibido decenas de llamadas de la comarca por los ataques de esos animales. Han debido de volverse locos, porque si no, no lo entiendo. Hemos tenido que llamar a los compañeros gallegos, así que con eso se lo digo todo.

En ese momento aparece Gema perfectamente uniformada y oliendo a limpio. Lleva colgado al hombro su fusil y el pelo aún lo tiene mojado. Hace el saludo militar a sus compañeros. Uno de ellos se salta los formalismos y le da un abrazo.

—¡Me tenías preocupado! ¿Qué ha pasado con Manu? —pregunta el militar de menor rango.

—No…no lo sé. Nos atacaron esas bestias y no recuerdo nada más. ¿Tenéis el *jeep*?

—Sí, hemos venido en él. Ahora mismo en el pueblo hay dos unidades más de nuestro acuartelamiento. Están atendiendo a varios vecinos con magulladuras.

—Señor, necesito las llaves del vehículo. Tengo que cerciorarme yo misma de que mi compañero está bien. —Gema se dirige a su sargento.

—Cabo, necesita descansar. La llevaremos al cuartel y de ahí se cogerá el primer tren a su casa. Por unos días, olvídese de todo.

—¿Usted dejaría atrás a un caído? —Gema mira a los ojos a su superior. Brillan de una manera inusual en ella.

El sargento abre la boca para decir algo, pero se frena en el intento. Mira a su otro compañero y busca en uno de los bolsillos del uniforme. Saca las llaves del coche y se las entrega a Gema.

—Confirme que estará de vuelta en el cuartel hoy mismo. Llévese una radio y esté en contacto conmigo en todo momento. ¿Estamos?

—A la orden. Muchas gracias, sargento.

Este le entrega un *walkie* y, tras comprobar que está a tope de batería, saluda a los allí presentes y sale del albergue seguido por su compañero. Ambos desaparecen calle abajo para encontrarse con su equipo. Vicente cierra la puerta y mira extrañado a Gema. No entiende nada.

—¿Qué pretendes, hija?

—Nunca abandonamos a un compañero. Voy a salvar a PJ.

22

Gema coloca su teléfono móvil en el soporte que hay en el salpicadero del coche. Comprueba con satisfacción que recibe bien la señal GPS del satélite. Mira su ubicación y después escribe su destino: Ponferrada. Le marca veintiséis kilómetros y apenas media hora.

Se cerciora de que tiene el tanque de gasolina lleno y activa el contacto del *jeep* color verde caqui. El motor ruge de manera inmediata. En su interior, una radio y equipamiento de supervivencia suficiente como para pasar unos días sin tener que buscar alimentos y agua. También dispone de un botiquín de emergencia y dos fusiles con sus cargadores. Gema sonríe al comprobarlo.

El coche sale a toda velocidad dejando las marcas de los neumáticos en el asfalto. La cortina de una de las ventanas del albergue se descorre levemente: Vicente observa cómo se marcha. Gema recorre las calles del pueblo dejando atrás el parque de La Alameda. Se sorprende al ver el trasiego de vecinos y peregrinos por los alrededores. Parece que ha vuelto la normalidad a la comarca. Tras cruzar el río Burbia, por fin entra en la Nacional VI en dirección Ponferrada.

No encuentra tráfico alguno, por lo que acelera procurando no salirse de la carretera. Está nerviosa, pero decidida y segura de lo que va a hacer. A los pocos kilómetros enlaza con la autovía A6 y de nuevo encuentra el camino despejado.

Tras apenas veinte minutos llega a la salida 388 y abandona la autovía. Está a solo cinco minutos de su destino. Reduce la marcha y entra en el pueblo por la Avenida de Asturias. El GPS le indica que ha llegado. Gema se echa a la derecha para coger su móvil. Busca en la agenda y respira tranquila al comprobar que tiene el número de PJ. Pulsa el botón verde. Espera varios tonos sin respuesta. Insiste una segunda vez.

—¿Sí? —responde PJ

—Menos mal que me lo coges. ¿Estás con Esther?

—Claro. ¿Qué pasa, Gema? No me asustes.

—Escucha atento lo que voy a decirte y procura no exteriorizarlo. Prométemelo.

—Tranquila. Dime.

—Tienes que mandarme tu ubicación por el teléfono. Como verás, todo vuelve a funcionar. Una vez que me la envíes, quédate en el sitio y no te muevas. Busca cualquier excusa ante ella. Estoy yendo a por ti.

—Entendido. Pero explícame un poco más, por favor.

—Esther no es quien dice ser. Es un esbirro de ese malnacido de Toro. Y te está llevando hasta Él.

PJ abre los ojos como platos y mira de reojo a su compañera, que parece ajena a la conversación. De repente se le ha secado la boca y un escalofrío recorre su espalda.

—Está bien. Que os vaya todo perfecto y ojalá nos veamos en otra ocasión. Esther te manda besitos. Chao. —PJ trata de disimular.

Le manda su ubicación por WhatsApp a Gema de manera discreta y guarda su teléfono en el bolsillo. Sigue caminando como si tal cosa. Esther frunce el ceño y le agarra el brazo con fuerza. Ambos se detienen.

—¿Qué quería esa ahora?

—Despedirse. Se marcha de la comarca y quería saber qué tal nos va.

—Ya. Seguro que algún día te llamará para hacerte algún favor. Esas cosas las notamos las mujeres.

—¡Qué dices! Eso no pasará, y lo sabes.

Esther no se queda satisfecha con la respuesta de PJ y prosiguen la marcha. Tras andar un minuto, el chico se detiene haciendo ostensibles gestos de dolor. Se echa la mano a la maltrecha rodilla y deja caer su mochila. Se sienta al margen del camino.

—¿Y ahora, qué? —Esther está perdiendo la paciencia.

—No puedo seguir. He notado un chasquido y estoy viendo las estrellas.

—¡Joder! Nos queda nada para llegar a Ponferrada. ¿No puedes hacer un esfuerzo?

—Déjame descansar la articulación un rato, al menos. Estás muy borde; parece que tienes prisa y no sé por qué.

Esther se quita también la mochila y se sienta junto a él. Su cara mantiene un rictus serio, y no deja de mirar a todas partes. Sabe que en cualquier momento puede aparecer su amo y tiene que estar preparada.

Sin que el muchacho se percate, varios lobos comienzan a bajar desde la ladera del monte que les rodea. Van tomando posiciones a la espera de la llegada de Toro. Esther lo sabe. Acaba de notar su presencia, aunque todavía no se ha hecho visible. Una de las bestias, la de mayor tamaño, comienza a adoptar forma humana. Es Él. Sale al camino andando con tranquilidad. A su lado, su inseparable perro. Enseguida aparece por el fondo del sendero.

PJ gira la cabeza y lo ve. Trata de incorporarse, pero Esther lo sujeta por los hombros. De repente, lo que parecía una chica frágil ahora ejerce una fuerza antinatural sobre él. Trata de zafarse, pero sus esfuerzos son en vano. Se escucha la risa de Toro, que se detiene a una distancia prudencial del chico. Sabe que tiene la piedra de Chon y su influencia le sigue afectando.

—De nuevo nos vemos, amigo. ¿Adónde pretendes huir? ¿A tu casa? —ríe de nuevo.

—No puedes hacerme nada. Si no, ya lo habrías hecho. —PJ mira a Esther con cara de lástima—. Y tú…no sé qué decir. Me has engañado todo este tiempo.

—Se me da bien, por eso mi amo me elige siempre. Cuando cazo para él, siempre obtengo mi recompensa.

—¿Qué te ha prometido por mí? —pregunta PJ sin querer saber la respuesta.

—Tu corazón. —Esther se relame mostrando una sonrisa malvada.

PJ saca la piedra de su bolsillo. Toro retrocede varios pasos, pero la chica sigue presionando al muchacho contra el suelo. Varios lobos salen de sus escondrijos y rodean la enorme figura del demonio. Muestran sus dientes, pero ninguno ataca.

—Quitadle esa basura de las manos. Si es necesario, arrancádselas.

Los lobos comienzan a correr hacia PJ, pero cuando el primero está a punto de soltar una dentellada suena una ráfaga de disparos. El animal cae sin vida a los pies del chico. Los demás detienen su carrera para volverse hacia el origen de la deflagración. Toro hace lo propio. Es entonces cuando la ve.

Gema sigue apuntando con su fusil. Del cañón del arma sale un humo blanco. Los animales gruñen y a paso lento se le acercan. Gema amartilla el arma y dispara a la pata de uno de ellos, que cae gimoteando.

—Diles que permanezcan donde están o te quedas sin juguetitos —ordena la cabo en tono firme.

—Oh, tenías que ser tú. ¿Sabes lo que haré contigo en cuanto acabe con este desgraciado? Voy a coger esa arma que tanto quieres y te la voy a introducir por la tripa hasta que te salga por la nuca.

—Primero tendrás que ser capaz de tocarme.

Gema desabrocha un par de botones de su camisa militar y descubre el pentagrama que Chon le ha regalado. Enseguida, Esther suelta a PJ y cae de espaldas como si la hubiese fulminado un rayo. Permanece quieta con los ojos abiertos. Parece como si alguien la hubiese desconectado. Toro esboza un gesto de sorpresa al ver el amuleto de Gema. Rechina los dientes y aprieta los puños de pura rabia.

PJ se levanta y corre hacia su compañera. Los lobos no dejan de gruñir, pero permanecen quietos. Un humo negro comienza a salir por los ojos y la boca de Esther, que sigue en la misma posición. En cuestión de segundos, su cuerpo se envuelve en llamas. PJ no puede evitar ver cómo se consume la chica que hasta hacía unos minutos era especial para él. Toro ni si quiera gesticula.

—¿De dónde has sacado eso? ¿Crees que podrás detenerme de esa manera? Con escoria como esa —Toro señala los restos carbonizados de Esther—, quizá te funcione, pero conmigo tendrás que esforzarte más.

—Dios mío, Esther. —PJ no puede creer lo que está viendo.

—Esa cosa no era humana. No te lamentes. Vámonos de aquí, PJ. Tengo un coche aquí detrás. ¡Vamos!

Los dos comienzan a correr lo más rápido que pueden. Cuatro lobos los persiguen, pero Gema se detiene y comienza a dispararles. Dos de ellos caen abatidos, pero uno consigue alcanzar a la militar y le propina una dentellada en la pierna. Gema grita de dolor y deja caer el arma. Otro lobo se abalanza sobre ella y la muerde en el costado. PJ frena su carrera y observa horrorizado cómo es atacada su compañera.

—¡Vete, joder! ¡Las llaves están puestas! —grita Gema, tratando de quitarse de encima a los dos lobos.

PJ está petrificado. Sus piernas no le obedecen. Por su cabeza pasan mil imágenes y parece que todo sucede a cámara lenta a su alrededor. Toro camina despacio hacia Gema. Sonríe al ver cómo sufre.

—No sabes cuánto voy a disfrutar con tu carne —se relame el demonio.

En ese momento, PJ sale del trance y comienza a correr. Enseguida ve el *jeep* de Gema y de un salto se introduce dentro. Se da cuenta de que se ha dejado la mochila, pero le da igual. Arranca el motor. Mete primera, pero la pierna le tiembla demasiado y el coche se cala. Lo intenta una segunda vez y por fin consigue salir del lugar. De un brusco volantazo sale al camino y, tras golpear el lateral del coche contra un árbol, desaparece tras una nube de polvo. Los gritos de Gema retumban en el monte.

Los lobos se retiran obedeciendo un gesto de Toro, dejando a la chica malherida. Desaparecen entre la vegetación. En la pierna, ella presenta un buen desgarro y no deja de sangrar. Gema trata de arrastrarse, pero apenas puede moverse. Toro se le acerca con una sonrisa dibujada en la cara. La observa y se recrea en su sufrimiento. Ella le aguanta la mirada y coge el pentagrama de su cuello. Se lo muestra, pero no parece afectarle. Toro ríe a carcajadas.

—Reconozco que me habéis sorprendido. Esa vieja malnacida es muy inteligente, pero eso que llevas colgado no me causa daño alguno.

—Pues a tu puta parece que no le ha sentado nada bien.

—Gema ya no tiene nada que perder.

—Esa mercenaria no tenía poder ninguno. No me subestimes.

—¿Y qué me dices de esto? —Gema saca la piedra de su bolsillo.

Toro aparta la mirada y retrocede varios pasos. Gema aprovecha la debilidad momentánea del demonio para tratar de levantarse. El dolor es muy intenso, pero apretando los dientes, lo consigue. Toro sigue dando pasos hacia atrás sin quitarse las manos de la cara.

—¡Cómete esto, hijo de puta! —murmura Gema viendo el efecto que causa la piedra en él.

Saca de su cinturón la navaja y se arranca una de las mangas. Acto seguido, coge una rama del suelo y se la introduce en la boca. La muerde mientras se hace un torniquete en la pierna, apretando todo lo que puede. El grito de la mujer se escucha a un kilómetro. A duras penas logra mantenerse en pie.

En ese momento, el ruido de un vehículo se hace presente. Gema se vuelve y comprueba con satisfacción que se trata de PJ, que se baja del coche y coge en brazos a su compañera. Toro observa la escena desde la distancia.

Sin perder tiempo, el muchacho introduce con sumo cuidado a Gema en la parte trasera del vehículo. Vuelve a los mandos y acelera dejando al demonio sumergido en la más absoluta rabia. Se escucha un desgarrador aullido de lobo.

—¡Estás loco! ¿Por qué has vuelto? —pregunta ella, visiblemente dolorida.

—Nunca dejamos a un compañero atrás. Tú me lo enseñaste.

—Eres un inconsciente. No deberí…

En ese momento, Gema pierde el conocimiento. Las heridas tienen muy mala pinta y está perdiendo mucha sangre. PJ no sabe a quién acudir. Frena en seco para tratar de organizar su cabeza. Coge el móvil y comprueba que tiene cobertura 4G. A pesar del temblor de manos, trata de averiguar cuáles son los hospitales más cercanos. El de la Reina está a tan solo quince minutos, por lo que activa el GPS y acelera de manera brusca provocando que Gema se desplace hacia atrás. No lleva puesto el cinturón.

PJ mira por el retrovisor y comprueba horrorizado que un enorme lobo corre hacia ellos. Su tamaño no es normal, y le recuerda al que vio junto a la cabaña de Vicente al principio del camino. Todavía está por el sendero de tierra y el coche pasa a duras penas. Entre las raíces que sobresalen del suelo y las piedras no logra coger velocidad, y los movimientos del *jeep* le hacen imposible mantener el coche recto.

El lobo se les acerca cada vez más, PJ es consciente de ello. Un aullido le hiela la sangre. Pega un volantazo y se adentra en pleno campo aprovechando que el vehículo es un todoterreno. Trata de confundir al animal, pero no lo consigue. Al tener el camino despejado, logra meter una marcha más y comienza a dejar atrás al lobo. Gema balbucea algo que no logra entender. Está delirando por la fiebre. Se le acaba el tiempo.

Tras dar un buen rodeo, vuelve al camino y ve el enlace con la carretera. Mira hacia atrás de manera instintiva, pero ya nadie los persigue. Su corazón sigue desbocado. Ha logrado despistar a la bestia.

Un ruido de chapa lo pone en alerta. El lobo les ha alcanzado de manera inesperada y de un zarpazo logra destrozar la luna trasera. Está enganchado con las garras a la rueda que tiene en el portón trasero. No deja de gruñir mientras trata de alcanzar con la pata a la militar, que va dando bandazos en el asiento.

PJ mueve el volante de manera brusca para ver si es capaz de desestabilizar a la bestia. No tiene éxito. El asfalto llega por fin y logra meter la quinta marcha. Hunde el pie derecho en el pedal de aceleración. El lobo a duras penas logra mantenerse agarrado a la rueda. El aire que provoca la velocidad apenas le deja respirar, y finalmente cae. Su cuerpo rueda por la carretera hasta quedar inerte. Un camión que viene justo detrás no puede evitar la colisión. El golpe es tremendo, provocando que el pesado tráiler vuelque.

El *jeep* sigue avanzando y PJ comprueba por el retrovisor que el peligro ha quedado atrás. Tras varios kilómetros, coge el desvío hacia el hospital y, sin buscar aparcamiento, deja el coche de cualquier manera. El frenazo hace salir de su garita al vigilante del *parking*. No le da tiempo a recriminarle al chico su acción: enseguida observa el estado de la chica. Coge su *walkie*.

—¡Una camilla al aparcamiento exterior! ¡Ya! —grita el vigilante.

Entre los dos logran sacar a Gema de la parte trasera y la depositan en el suelo. En ese momento, tres personas llegan a la carrera empujando una camilla. Suben a la militar y, sin perder tiempo, la introducen por la puerta de Urgencias. PJ permanece a su lado.

—¿Qué le ha pasado? —pregunta la doctora, examinando una de las heridas.

—Nos han atacado unos lobos. Estamos haciendo el Camino de Santiago y no los hemos visto venir.

—Pero si es del ejército. ¿Le has hecho tú el torniquete que lleva puesto? —pregunta, desconfiada.

—Se lo hizo ella misma. Gema presta ayuda a los peregrinos montando tiendas de campaña colectivas.

En ese momento suena el *walkie* que el sargento prestó a la muchacha. PJ lo coge y presiona un botón rojo.

—¿Gema? —pregunta una voz.

—Hola. No, ella no puede hablar ahora. Estamos en el hospital de Ponferrada. Ha sufrido un accidente.

—¿Qué le ha pasado? ¿Y quién eres tú?

—Un amigo. Estamos en el Hospital de la Reina, en Urgencias. No puedo seguir hablando.

PJ desconecta la radio mientras persigue por los pasillos a la camilla donde Gema lucha por su vida. Entran en un box y enseguida le ponen oxígeno. La enfermera le coge una vía. Con unas tijeras, la doctora le rompe el traje militar y estudia las heridas. Una vez monitorizada, comprueba que su pulso es muy débil: ha perdido mucha sangre y la herida se le está empezando a infectar.

—¡Preparad la antitetánica y traed tres unidades de sangre! Tenemos que operar ya o no saldrá de esta.

La máquina de las constantes emite un pitido continuo. Gema ha entrado en parada cardiorrespiratoria.

—¡Desfibrilador! ¡Cargad a ciento sesenta!

La enfermera pone una crema en las palas y la doctora le pega una descarga al pecho de Gema. Su cuerpo bota como si fuera una muñeca de trapo. La máquina sigue en encefalograma plano.

—¡Cargad a doscientos! —grita la doctora, angustiada.

De nuevo, la corriente pasa por el sistema nervioso de la militar. Esta vez, la sacudida ha sido mayor. Un celador se percata de presencia de PJ y sin mediar palabra lo saca del box.

—¡Qué coño haces! ¡Es mi amiga! —grita PJ con impotencia.

—No puedes estar aquí. Son las normas del hospital.

Se escucha otra descarga. PJ se deja caer al suelo con las manos en la cara. El pitido continuo lo destroza por dentro. En cuclillas y totalmente indefenso, llora desconsolado.

23

Villafranca del Bierzo. Albergue Los Lobos.

Chon abre los ojos. Se encuentra muy desorientada. Tiene puesta por encima una de las mantas de la cama, pero está tumbada en el sofá. Apenas se acuerda de por qué está ahí. Por unos segundos, trata de reorganizar su mente. Mira a su derecha y respira tranquila: Vicente dormita en una vieja mecedora que ella suele usar para tejer en sus ratos libres.

Con torpeza, se sienta y se calza las zapatillas de franela con las que suele andar por la casa. Mira su reloj y comprueba que está empezando a anochecer. Desde que todo empezó, mantiene el albergue cerrado. Y seguirá así hasta que esté segura de que estarán a salvo. Se levanta y coge la manta para arropar a su amigo. Este, al notar el peso de la manta, se sobresalta y abre los ojos, asustado.

—¡Chon! ¿Qué hora es? —pregunta tratando de despertarse del todo.

—Las siete de la tarde. Por lo visto, el cansancio se ha apoderado de nosotros. Somos unos viejos carcamales.

—Habla por ti. Yo todavía estoy hecho un chaval.

—Pues tenías buena pinta cabeceando en la mecedora —ríe Chon—. ¿Se sabe algo de los chicos?

—Nada. Ni de PJ ni de Gema. De todos modos, no nos dimos los teléfonos.

—Supongo que te quedarás a dormir esta noche, ¿verdad? No creo que sea buena idea que te vayas a tu cabaña. Hay comida también para tu chucho.

—Se llama Yester. Claro, nos quedamos, pero mañana a primera hora me marcharé a casa. Llevo días fuera y las cosas no se hacen solas.

—Viejo maruja. Anda, vamos a ver qué hacemos para cenar, que quiero acostarme pronto. —Chon le sonríe.

Vicente pone cara de burla ante el comentario de su amiga. Salen del salón en dirección a la cocina. Las piedras de la posadera todavía están encima de la mesa. Las mira de reojo. Abre el armario que utiliza como despensa y estudia con detenimiento las provisiones de las que dispone. Coge un par de latas de fabada y dos de mejillones en salsa vieira. Sabe que son los preferidos de Vicente.

—No nos vamos a complicar la vida. Microondas, y listo.

Vicente se sienta en la mesa emitiendo un sonoro suspiro. Reúne las piedras dejándolas amontonadas en un rincón. Mientras Chon abre las latas y las deposita en dos platos hondos, el hombre juguetea con una de ellas. Imitando a su amiga, las coge y las suelta en la madera. El ruido que provocan hace que Chon se vuelva y se quede mirando su posición. La mujer abre los ojos hasta el límite de sus orbitas, y deja caer al suelo la cuchara de madera que tiene en su mano.

—¡Oh, Dios mío! —exclama, llevándose las manos a la boca.

—¿Qué pasa? ¿Estás viendo algo?

—Veo muerte. Y la veo reciente.

—Pero eso ya te lo dijeron tus piedras. No te entiendo. —Vicente está confundido.

—Esto es diferente. Me están avisando a mí.

Chon olvida la comida en la cocina y sale disparada hacia la puerta de la entrada. Echa los cerrojos y observa por la mirilla. No ve nada extraño. A continuación, se acerca al sofá y trata de moverlo en vano. Pesa demasiado y ella sola no puede. Vicente llega por detrás y la aparta con delicadeza. Ambos se miran.

—¿Qué has visto?

—Ayúdame a poner esto contra la puerta. Tengo malas sensaciones, Vicente.

Sin preguntar más, el hombre accede a prestarle ayuda. Sitúa el sofá contra la entrada. Sabe que Chon pocas veces ha fallado, por no decir ninguna.

Ella marcha por el pasillo hasta llegar a la puerta trasera. Repite la misma operación echando la llave. Coloca una silla apoyada en el picaporte. Se queda algo más tranquila. Vicente la observa a su espalda.

—¿Estamos en peligro?

—Llevamos en peligro cincuenta años, Vicente. Ese malnacido no descansará jamás hasta que sacie su sed. Y después irá a por otros. Le siento cerca y las piedras me han advertido.

El ermitaño se queda en silencio pensando en las palabras de su compañera. A pesar del tiempo trascurrido, es cierto que siempre han tenido presente el posible regreso de la bestia. Ahora que ha vuelto, no sabe cómo actuar. Ha muerto demasiada gente y, no tardando mucho, las desapariciones repercutirán en los medios de comunicación. Se siente preocupado por la suerte de Gema y PJ.

Los cristales de la ventana de la cocina estallan en mil pedazos. Chon grita y Vicente la abraza por instinto. Un escalofriante rugido seguido de un aullido retumba en toda la casa. Desde donde están no pueden ver nada, salvo la luz de la cocina proyectada en el pasillo. Se escucha la respiración jadeante de una bestia. Su sombra se proyecta en las paredes. Otro estruendo. Un trozo de madera de la mesa acaba en el pasillo, y las piedras de Chon se esparcen por todas partes. Lo está destrozando todo.

Sea lo que sea tiene una fuerza terrible. Vicente trata de proteger a Chon, pero se siente más indefenso que ella. Palpa la piedra de su bolsillo y respira aliviado. En ese momento, el gigantesco lobo sale de la cocina y mira a ambos lados del pasillo. Enseguida se percata de la presencia de los dos, al fondo. Enseña los dientes dejando caer una desagradable baba blanquecina y pastosa. Camina despacio hacia ellos, que retroceden según avanza la bestia.

En ese momento, el lobo emite un resplandor intenso y una figura humana comienza a aparecer. Vicente y Chon se tapan los ojos ante la potencia de la luz. Al volver a mirar, lo ven. Toro está frente a ellos, mirándolos. Su gesto es de maldad, y su sucia sonrisa les revuelve. No tienen escapatoria.

—¡Demonio! ¡Vete por donde has venido! ¡Sabes que no puedes hacer nada esta casa! —grita Chon, tratando de mostrar firmeza.

—¡Cállate, saco de carne podrida! No es a ti a quien quiero. Ya lo sabéis. Apártate y deja que acabe lo que empecé hace años.

—¡Jamás! No tienes poder aquí.

Toro suelta una risotada malvada. Se le cae la saliva por la comisura de los labios. Se relame. Golpea con los puños a cada lado del pasillo. La fuerza que tiene es desproporcionada y los hunde en el viejo ladrillo, provocando que la pared se agriete.

Saca una prenda de ropa del interior de sus roídos pantalones. Se trata de una camiseta conocida por Vicente. Pertenece a PJ.

—¿Qué haces con eso? —pregunta el hombre, dando un paso al frente.

—Yo nunca pierdo, viejo amigo. Y ese crío tenía un aspecto tan tierno que no lo he podido evitar. Mis lobos estarán dejando limpios sus huesos en estos momentos.

—¡Maldita bestia! ¡Era a mí a por quien venías! ¡Él no tenía nada que ver!

—Se interpuso en mi camino, como tú lo hiciste en el de tu padre hace medio siglo. Ahora saldarás la deuda que tienes conmigo.

Vicente se vuelve y mira a los ojos de Chon. Le sonríe y ella comprende lo que está a punto de hacer. Le dice que no con la cabeza y lo agarra de las manos. Su mirada le implora.

—Está bien. Me tendrás. Pero te pido una condición a cambio de mi vida.

—No te prometo nada, viejo.

—Déjala marchar. Ya has acabado con el chico y ahora me tienes a mí. Tu ciclo en el Camino de Santiago ha finalizado.

Toro cambia el gesto. Mira a Chon a los ojos y sonríe de manera sucia.

—Yo también pongo una condición. Tendréis que destruir todas las piedras. Si lo hace, ella no volverá a saber de mí el resto de su asquerosa vida.

—No creo que tengas palabra, pero acepto.

—¡No! —suplica Chon—. ¡Te está engañando, como hizo con tu padre!

—No tengo otra opción. Las destruiremos ahora.

—Bien, que así sea. Empieza por la que llevas tú.

Vicente echa la mano al bolsillo y saca la piedra. Lleva con ella mucho tiempo. Enseguida provoca un efecto negativo en el demonio, que gira la cabeza.

—Tírala por ventana. Después las destruirás todas. —Toro sigue sin poder mirar. Vuelve a dar varios pasos hacia atrás.

Vicente se acerca y abre el pequeño ventanuco que hay junto a la puerta de la parte de atrás de la casa. Tras pensarlo unos segundos, la lanza todo lo lejos que puede. Una corriente fría entra en la casa, y enseguida observa que decenas de lobos rodean el albergue. El sol acaba de ponerse, pero los ojos brillantes de los animales se hacen evidentes. Cierra de nuevo y se sitúa junto a su amiga.

—Buen chico, sí señor —comenta Toro en tono burlón.

Avanza hacia ellos a paso lento. Cuando llega a la altura de Vicente, este se sorprende ante la envergadura de la bestia. Sin mediar palabra, lo aparta de un manotazo y cae contra la puerta. El golpe ha sido tremendo, pero no ha perdido el conocimiento. Chon grita horrorizada. Al ir hacia su amigo se encuentra con la mano de Toro. La agarra del cuello y la levanta del suelo. La anciana patalea en el aire, desesperada, mientras Toro ríe ante su impotencia. Le lame la cara. Se recrea en ello.

—Déjala tranquila. —Vicente trata de incorporarse a duras penas.

—Como quieras. —Toro suelta a la posadera, que cae como un fardo al suelo—. Y ahora, tú y yo nos vamos de aquí.

De un puñetazo, revienta la puerta. Esta cae desplomada y varios lobos se asoman gruñendo. Chon los ve desde el suelo. No puede moverse. Se ha roto la cadera.

El gordo coge por el jersey a Vicente y como si de un muñeco de trapo se tratara, y lo arrastra hasta el exterior. Se abre paso entre su manada y llega hasta el cobertizo. Suelta al hombre de mala manera. Este se lleva la mano a la rodilla, pero no quiere mostrar debilidad. Desea acabar con toda la dignidad posible. Sacando fuerzas de donde no las tiene, se pone en pie mirando a los ojos a Toro.

—Aquí me tienes. Acabemos con esto cuanto antes. Voy a destruir la piedra.

—No, amigo. Lo único que quería era que te deshicieras de ella. Ha sido fácil manipularte, igual que lo hicimos con tu amigo. Una chica atractiva y ¡zas!, demasiado sencillo. —Toro suelta una desagradable carcajada.

Con un silbido, dos lobos se abalanzan sobre Vicente y le muerden en los brazos. El hombre chilla como un gorrino en la matanza. Con esfuerzo, consiguen arrastrarlo hasta adentrarse en la maleza. Las ramas más bajas golpean el rostro del hombre, arañándolo. Otro lobo se acerca para ayudar. Cada dentellada son como mil cuchillos.

Tras subir varios metros, por fin llegan hasta las cuevas. Vicente levanta la cabeza para observar el lugar donde murió asesinado su padre. El dolor que está experimentando es insoportable, y lo único que pasa por su cabeza es reunirse cuanto antes con él. Dos lágrimas brotan de sus ojos.

Los lobos lo sueltan a la entrada de una de las cuevas y se retiran, quedándose a una distancia prudencial. Toro llega y, sin mediar palabra, coge por el pie a Vicente y lo arrastra al interior. Todo está oscuro. El hombre se golpea con las piedras del suelo y trata de protegerse la cara. El demonio se detiene. Agarra una antorcha que estaba dentro y la enciende con sus propias manos. Allí se pueden apreciar manchas de sangre, y lo que parecen restos humanos. El olor es nauseabundo.

—¿Te suena este lugar, amigo? Aquí descubrí el sabor de tu querido papá.

—Quiero que sepas, maldito hijo de puta, que para mí va a ser un honor morir en el mismo sitio que mi padre. Que llevo esperando este momento cincuenta largos años. Y ahora me reuniré con él, mientras tú estarás condenado para la eternidad.

—Conmovedor. ¿Sabes una cosa? Antes te mentí. En cuando acabe contigo, iré a por la vieja loca. Aunque a esa no me la comeré yo. Lo harán ellos —dice señalando a los lobos que se asoman desde el exterior.

Vicente aprieta los puños de pura rabia. Las mordeduras le arden, pero le duele más el corazón. Toro se agacha y levanta la cabeza del hombre. Abre la boca, y Vicente no puede aguantar el fétido aliento de la bestia. Con parsimonia, muerde su mejilla hasta arrancar un buen trozo. Los gritos de Vicente retumban en el interior de la cueva. Toro mastica con gusto. Saborea la carne mientras un hilo de sangre cae por la comisura de sus labios.

—Sublime. De tal palo, tal astilla.

Toro da rienda suelta a su orgía de sangre, mientras sus lobos comienzan a bajar por la colina. Chon está malherida, y lo saben.

La cena está servida.

24

Madrid. Tres meses más tarde.

El tictac del reloj que PJ tiene en su diminuto salón se hace protagonista. La historia que acaba de contar les suena increíble a sus amigos, que tratan de asimilar lo que acaban de escuchar.

Laura observa la fotografía de Esther con detenimiento: no llega a entender cómo un rostro en apariencia angelical puede albergar a un ser demoniaco. Le cuesta creer a su amigo. Mira de reojo a Cifu, que le devuelve la mirada tratando de contenerse.

Mientras tanto, Yaiza no sabe dónde meterse. Mira impulsivamente su reloj. No entiende qué hace allí. Trata de buscar cualquier excusa para marcharse a su casa.

PJ juguetea con la piedra. Los recuerdos que le vienen a la mente no son solamente pesadillas: también están Gema y su fuerza. Vicente y su generosidad. Chon y su poder. Pero ahora, ellos no están. Apenas unas fotos y poco más hace que el sueño haya sido realidad. Simba aparece por el salón y se restriega en la pierna de su amo. Quiere mimos, pero no es el momento. Vibra su móvil: PJ lo mira y lo vuelve a dejar en la mesa.

Laura rompe el hielo y se levanta. Poniendo los brazos en jarras, se da un paseo por la estancia hasta quedar frente a su amigo. Lo mira a los ojos, pero no es correspondida.

—David, sigue contando, por favor. No puedo creer que todo acabara tan mal.

—No fue del todo horrible. Ya que me habéis preparado una encerrona, yo también he preparado la mía. Alguien viene, y me gustaría que la conocieseis.

—Yo me voy a ir, chicos. PJ, ha sido un placer conocerte. Quizá en otro momento podamos quedar con más tranquilidad. Hoy no ha sido una buena idea. —Yaiza se levanta y se acerca a PJ.

—Lo siento de veras. Ya ves que no tenía ni idea de todo esto. Espero volver a verte. —Ambos se dan dos besos—. Te acompaño a la puerta.

PJ se acerca a la entrada mientras Cifu y Laura los acompañan. Yaiza también los besa, y desaparece escaleras abajo. Por el ruido que provocan sus chanclas, parece que tiene prisa. Es evidente que está asustada.

El muchacho cierra y echa la llave. Los tres vuelven al salón. Cifu resopla sin saber muy bien qué decir. Laura le pasa la mano por la rodilla en un gesto de complicidad. Se dan la mano.

—Dime, PJ. ¿A qué te refieres con que alguien viene? —pregunta Laura, curiosa.

—Enseguida lo veréis. Me escribió diciendo que ha salido del metro hace un rato.

Suena el timbre de la calle. Laura pega un bote en el sofá y Cifu le aprieta la pierna para calmarla. En ese momento se siente algo ridícula y se le escapa una risa nerviosa. PJ se levanta para abrir.

—Ya está aquí.

Abre la puerta para recibir la visita. Laura se soma con curiosidad. Se escuchan unos pasos por las escaleras. A los pocos segundos, PJ abraza a una chica y se quedan así un buen rato. Ambos entran en el salón. Es una mujer de unos treinta y algo, de pelo rubio y media melena. De complexión atlética y gesto serio. Lleva una muleta. Les sonríe.

—Pues aquí tienes a mis amigos. Ella es Laura, y él el famoso Cifu. El cabrón que me dejó tirado cuando decidí marchar a León. —PJ le guiña un ojo para que no se moleste.

—Pues créeme que fuiste listo al quedarte en Madrid. Quizá ahora no estarías aquí —responde la mujer.

—Encantada de conocerte. ¿Y tú eres…? —pregunta Laura.

—Creo que ya debéis de conocerme un poco. Me llamo Gema Barbero.

Al escuchar ese nombre, Laura esboza un gesto de sorpresa y mira a su chico. No puede creer que haya podido sobrevivir a semejante ataque. Los cuatro toman asiento y Gema vuelve a abrazar a PJ. Se nota que el Camino los ha unido para siempre.

—Por vuestras caras, me imagino que os estaréis preguntando cómo coño logré salir de aquella, ¿no es así? —Gema les guiña un ojo.

—No lo dudes. Somos todo oídos.

—Dejadme que os lo cuente yo. En aquellos momentos, ella estaba más muerta que viva. —PJ mira con complicidad a Gema, que le da la mano—. Tras varias descargas, lograron volver a poner en marcha su corazón. Le tuvieron que meter tres bolsas de sangre para salvarle la vida. Tuvo suerte de que en ese momento hubiese de su RH. Una vez estabilizada, la metieron en el quirófano para tratar de arreglar el destrozo que le provocaron los lobos. Las heridas estaban infectadas y corría el riesgo de que le llegase al torrente sanguíneo. No sé cuántas horas pasó allí metida.

—Cuatro, según la doctora.

—A mí me dio la sensación de que fueron muchas más. El caso es que cuando salió la cirujana, me miró con cara de cansancio y asintió con la cabeza. No me hizo falta más. En ese momento me tiré al suelo del agotamiento y lo siguiente que recuerdo es estar en una cama. Tuvieron el detalle de ponerme en la misma habitación que ella.

—¿Qué te pasó? —pregunta Cifu.

—Síncope vasovagal provocado por el cansancio y el estrés. O al menos, eso me dijeron. A mí me dieron el alta a la semana, ya que aprovecharon y me examinaron bien la rodilla. Pero ella estuvo un mes entero. Yo regresé a Madrid, ya que en mi familia estaba muy preocupada, pero hablaba con Gema todos los días por teléfono.

—Sí. Fue un gran apoyo durante mi recuperación. Como habéis podido ver, mi pierna no ha acabado muy bien. Los desgarros afectaron a los tendones y me quedará una cojera de por vida. Aunque ya lo tenía decidido antes del ataque, tuve que dejar el ejército. Y me vine a Madrid.

—Ya sabéis el motivo por el cual no quería salir de aquí. La única persona que me hacía compañía era ella. Nos pasamos las horas muertas en este salón. A veces vemos películas, otras estamos en silencio leyendo un buen libro, o echamos una partida al ajedrez.

—Estoy flipando. ¿Y qué pasó con los que se quedaron allí? Vicente, la vieja del albergue… —pregunta Laura.

—Por desgracia, no sabemos nada de Vicente. Mis compañeros del cuartel acudieron al albergue de Los Lobos y encontraron los restos de Chon. Había sido devorada por la manada de ese malnacido. La casa estaba destrozada. Pero de él, ni rastro —responde Gema torciendo el gesto.

—Pues no vimos nada en las noticias. Es extraño —comenta Cifu.

—Sí que salió algo, pero esas cosas procuran taparlas para no asustar al turismo que viaja a la zona. Todo se resumió en unos ataques esporádicos y rápidamente controlados. La verdad solo la sabemos unos pocos —responde Gema.

—Ahora, demasiados. Sois mis amigos y confío en vosotros, pero la chica que habéis traído se ha ido asustada. ¿Os fiais de ella? —PJ no quiere más sobresaltos.

—No dirá nada. Luego la llamaré, tranquilo —responde Laura—. De todos modos, necesito haceros una pregunta: ¿qué pasó con Toro?

PJ y Gema se miran. El solo hecho de escuchar su nombre les hiela la sangre. PJ se pone en pie y coge la piedra de la caja. A su lado, la foto medio arrugada de Esther.

—La última vez que lo vi rodaba por la carretera. Después fui testigo de cómo un camión le pasaba por encima, y volcó. No he vuelvo a saber de él. Bueno, hasta hoy.

—¿Cómo que hasta hoy? —Gema lo mira, asustada.

—Cuando comencé a contar la historia, me llamó al móvil. Era su voz.

—¿Estás seguro de eso? ¿Qué te ha dicho? —pregunta, levantando la voz sin darse cuenta.

—Que solo le faltaba yo. No he querido escuchar más y colgué.

Gema se levanta apoyándose en su muleta y trata de llegar hasta una de las ventanas. Mira la calle: es estrecha y apenas circulan coches. El trasiego de gente es normal. Trata de visualizar la enorme figura de la bestia, pero no la ve. No está tranquila, y se queda apoyada en el quicio de la ventana. Se vuelve hacia PJ.

—¿Aquí estamos seguros?

—No lo estaremos en ningún sitio si de verdad está en la ciudad. Acabará por encontrarme si se lo propone.

—Cifu, nosotros deberíamos marcharnos. Necesito asimilar todo lo que me has dicho. Eres uno de mis mejores amigos, PJ, y no quiero que te pase nada malo. Pero todo esto me supera. Espero que lo entiendas.

—No te preocupes. Mi familia tampoco sabe nada. Les dije que tuvimos un accidente caminando y que por eso acabé en el hospital —sonríe el chico.

—¿No les llamó la atención que acabaras en un hospital de Ponferrada saliendo de Villafranca del Bierzo? —pregunta Cifu con muchas dudas.

—Nunca supieron dónde estuve. Cuando los avisé, ya me venía para Madrid. Vinieron a buscarme a la Estación Sur de autobuses.

—Todo esto suena a película de terror. Solo espero que ahora estés bien y que sigas tu camino con tranquilidad. Te quiero, feo. —Laura le da un fuerte abrazo.

PJ cierra los ojos y lo disfruta. Son muchos años de amistad, y sabe que Laura lo pasa mal. Cifu se acerca y se les une: lo despeina de manera cariñosa guiñándole un ojo. Gema observa la escena guardando una distancia respetuosa.

—Llamadme cuando lleguéis a casa. Ya está anocheciendo.

—Lo haremos —responde Laura mientras abre la puerta de la calle—. ¡Ah!, por cierto: deberías escribir una novela sobre todo esto. Sé que te gusta la literatura y que no se te da nada mal. Piénsalo. Quizá te sirva para desahogarte.

—Lo tendré en cuenta. Hasta mañana.

El chico cierra y se vuelve hacia Gema, que observa con miedo la foto de Esther. Le vienen decenas de imágenes de ella y cosas que vivieron a su lado. A pesar del poco tiempo transcurrido, la intensidad de los momentos se quedará grabada en su memoria para siempre. Suspira. Cojeando, se acerca a la ventana y apoya la cabeza en el cristal. Puede ver cómo Laura y Cifu desaparecen calle abajo.

PJ la agarra por la cintura y la besa en la nuca. Ella se gira y le agarra la cabeza con dulzura. Sus labios se rozan y sus ojos se encuentran. Permanecen así unos segundos que PJ disfruta. Su corazón se dispara. Ambos se besan con pasión. La muleta de Gema cae y PJ la agarra por la cintura.

Con esfuerzo, la coge en brazos y la acerca al sofá. Tumbada boca arriba, ella puede ver el rostro del chico que le salvó la vida. Aquel que lo arriesgó todo por los demás. Está enamorada y no puede evitarlo. No quiere evitarlo.

Suena el móvil de PJ y corretea por la mesa por la vibración. Gema se sujeta el pecho del susto. El muchacho sonríe y se estira para cogerlo.

—¿Sí?

—Hola de nuevo, amigo. ¿Cómo estás? Antes me has colgado de mala manera, y eso no se le hace a un amigo. Está feo.

—¡Por favor! ¡¿Es que no me vas a dejar en paz nunca!? —PJ levanta la voz.

—No me hables así. Me debes respeto y sumisión.

—¡Deja de jugar conmigo!

—Con la comida no se juega. Eso te lo deberían haber enseñado de pequeño. Quizá tenga que ir a explicárselo a tus queridos papaítos.

—¡Ni se te ocurra tocar a mi gente! ¡Quédate por tus montes y olvídate de mí!

—¿Y quién te ha dicho que estoy por allí? —Toro ríe a carcajadas—. Me encanta la noche tan bonita que tenéis en Madrid. Pero todavía más me gustan los andares de tu amiga.

Toro corta la llamada dejando a PJ con la boca abierta. Gema se sienta y trata de abrazarlo, pero parece que se ha quedado de piedra. Suelta el móvil y se lleva las manos a la cara. Cierra los ojos y aprieta los dientes de la rabia.

—¿Qué te ha dicho esa bestia?

—¡Está aquí! Y me ha dicho algo de mi amiga. Tengo que llamar a Laura.

PJ recoge el móvil del suelo y marca a Cifu. Tras dos intentos sin éxito, marca el de Laura. Lo coge a la primera.

—Ya me estás echando de menos, ¿eh?

—¡Laura! ¿Dónde estáis? —pregunta PJ, muy nervioso.

—Llegando a casa. Estamos en el coche. ¿Qué pasa?

—No lo sé, pero si veis a alguien extraño, llamad a la policía. Confirmadme cuando estéis en casa.

—Tranquilo PJ. *Ciao*.

Laura cuelga y PJ deposita el teléfono sobre la mesa. Se sienta, visiblemente preocupado. No entiende cómo ha podido dar con él, y mucho menos cómo ha conseguido su número. Se desespera por momentos. Gema guarda silencio. Mira su móvil y comprueba aliviada que no tiene ningún mensaje ni llamada.

PJ se va a su habitación. Saca de lo alto del armario una mochila de deporte. Abre las puertas y comienza a sacar su ropa. La introduce de mala manera en la bolsa mientras hurga en los cajones de la mesilla. Gema se le acerca y se queda apoyada en el umbral.

—¿Qué estás haciendo?

—Tengo que marcharme. Si es verdad que me ha encontrado, no tardará en aparecer.

—Yo no tengo nada de ropa en tu casa salvo el pijama, algo de muda y mi cepillo de dientes.

—Por ahora, no quiero que te vengas conmigo. Te estarías arriesgando de manera innecesaria.

—Quiero estar contigo. ¿A dónde tienes pensado ir?

—Me iré a casa de Cifu y Laura. A ellos les sobra una habitación y sé que no les importará. Serán solo unos días.

—Y después, ¿qué?

—No lo sé, Gema. No me agobies.

Ella frunce el ceño y mira a los ojos de PJ con gesto serio. Se da media vuelta y llega hasta el salón. Está molesta con la contestación que le acaba de dar. Recoge su bolso y se acerca a la puerta. PJ se apresura y llega antes. Levanta la barbilla de la chica, que se niega a mirarlo.

—Perdóname, estoy muy nervioso. Siempre la pago con quien menos lo merece.

—No te preocupes. Te entiendo. Esta noche te llamaré antes de dormir, como siempre. —Gema sigue evitando mirarle.

Se libra de las manos de PJ y abre la puerta. Se marcha a paso lento por las escaleras del edificio. PJ permanece en ellas un rato: la luz se apaga y el silencio se apodera del rellano. El chico no es capaz de reaccionar. Se siente como un completo imbécil.

Se asoma por la venta para verla marchar, pero no lo logra. Maldice por lo bajo y acude a su habitación. Termina de llenar la mochila y, tras coger sus cosas de aseo, coge el móvil. Manda un WhatsApp a Cifu y espera respuesta:

«¿Me acogéis en vuestra casa esta noche?».

«Claro, tío. Te esperamos».

PJ se guarda el móvil y coge la mochila. Se agacha para acariciar a Simba, que le observa tranquilo desde su colchón. Ronronea agradeciendo los mimos.

Echa un último vistazo a la casa y se marcha. Todo se queda a oscuras y en un angustioso silencio.

Yaiza llega al parque del cementerio. Mira de reojo hacia la zona donde horas antes había quedado con Laura. Se siente ridícula por haber aceptado una cita. Consulta el móvil para ver la hora y lo guarda en la pequeña mochila que lleva a la espalda. Ya es noche cerrada en Vallecas y no hay ni un alma por la calle.

En vez de rodearlo, decide adentrarse en el parque. No tiene prisa y le apetece pasear. La noche se presenta fresca, pero es agradable. Un gruñido la hace volverse de manera instintiva. Trata de ver en la oscuridad, pero solamente distingue las luces de los semáforos que regulan la calle. Las farolas se apagaron hace un rato, y las sombras son las dueñas de los jardines del cementerio.

Otro gruñido hace que Yaiza no se entretenga en averiguar de qué se trata, y comienza a caminar a paso rápido. Se da cuenta de que no ha sido buena idea adentrarse sola en el parque. «Eres imbécil», piensa en voz alta. El crujir de una rama le hace soltar un pequeño grito. Nerviosa, se vuelve. Y es entonces cuando lo ve.

Un lobo le muestra los dientes, desafiante.

25

Suena el despertador. Son las ocho de la mañana y PJ protesta contra la almohada. Aún tiene mucho sueño y necesita descansar más, pero la responsabilidad le llama: una entrevista de trabajo en un *call center* lo espera en apenas una hora.

Mira a su alrededor y observa la habitación de invitados que tienen Laura y Cifu: sin muebles, salvo la cama y el armario empotrado. Varias cajas sin desembalar se apilan al fondo y del techo cuelga un casquillo con su bombilla. No hace mucho que sus amigos se compraron la casa y aún tienen mucho que hacer en ella. Se estira todo lo que puede y pone los pies en el suelo.

Sin hacer ruido, coge su ropa y se mete en el baño. Se asea un poco y se viste. No tiene muchas esperanzas en ese trabajo, pero al menos lo intentará. Consulta el reloj y comprueba que va mal de tiempo.

—Siempre con la hora pegada al culo —maldice por lo bajo.

Sale de la casa mientras le manda un mensaje a Cifu para avisarle de que se ha marchado. Llega hasta su coche y prepara el GPS para llegar hasta la empresa. Se da cuenta de que no está lejos. Respira aliviado.

Tras poner la radio, arranca y, con tranquilidad, sigue las indicaciones. La empresa está junto al hospital Doce de Octubre. Conoce bien la zona. Tras llegar hasta la vía de circunvalación M40, la señal de la radio comienza a emitir interferencias y un desagradable pitido hace que la apague. Pero no reacciona a su orden y el ruido aumenta. No puede parar ya que se encuentra en plena autopista, pero se echa a un lado para no entorpecer el tráfico. El pitido cesa, pero PJ comienza a distinguir una voz. No es capaz de entender quién habla.

Intenta poner un CD, pero el coche no está por la labor de funcionar correctamente. De nuevo se escucha una voz:

—Amigo, no deberías correr mucho, no vaya a ser que te fallen los frenos.

Tras estas palabras, la radio vuelve a emitir el programa normal de la emisora. La voz era inconfundible: Toro. PJ reacciona y pisa el pedal del freno, pero el coche no reacciona. Levanta el pie del acelerador para reducir velocidad, pero el efecto es el contrario. El cuentakilómetros indica que acaba de superar los cien por hora. PJ mira por los retrovisores, nervioso. Comprueba que a esas horas el tráfico es denso, pero todavía no se ha formado un atasco.

El coche no le obedece, pero él trata de mantener la calma. Marca con el manos libres el número de Gema. No sabe si estará durmiendo. El primer intento es fallido, por lo que vuelve a tratar. Desesperado, comprueba cómo se pasa la salida que el GPS le estaba indicando. Prefiere mantenerse en la carretera antes que salir a la ciudad. Reza para que el tráfico no se detenga.

—¿Sí? —La voz de Gema suena por los altavoces.

—¡Gema! Ese hijo de puta me ha manipulado el coche. No me funcionan los frenos y me hace cosas extrañas. No se te ocurra salir de casa para nada. ¿Me has entendido? ¡Para nada!

—Espera un momento, PJ. ¿Has visto la hora que es? ¿Estás seguro de lo que estás diciendo? Tu coche no es precisamente un BMW.

—No estoy de broma, Gema. Voy a ver si consigo parar. Tú hazme caso y quédate en casa.

—Está bien. Mantenme informada y ten cuidado.

PJ cuelga. Es entonces cuando el motor se revoluciona y comienza a coger velocidad. Patalea el freno, pero sigue sin funcionar. Tiene la tentación de accionar el freno de mano, pero sabe que volcaría. Va cambiándose de carril para evitar colisionar con los demás coches, pero cada vez es más denso el tráfico. Activa las luces de emergencia para avisar a los demás conductores. Suena de nuevo la radio.

—Te dije que no corrieras tanto, amigo. —La voz suelta una siniestra carcajada.

—¡Hijo de puta! —PJ mira desesperado los retrovisores.

Tras sortear como puede varios coches, roza con el lateral derecho a una furgoneta y cruza al sentido de la izquierda de un volantazo. El impacto contra el muro que separa ambos sentidos es muy fuerte. Totalmente sin control, el coche cruza la autopista hasta colisionar contra otro turismo. El vehículo de PJ hace un trompo y vuelca dando un par de vueltas de campana. Tras varios segundos angustiosos, se detiene quedando con las ruedas mirando al cielo de Madrid.

PJ está aturdido. Abre los ojos y apenas puede distinguir nada. Varias personas se acercan a la carrera para atenderle. El conductor del otro coche sale ileso del accidente.

La ventana del conductor estalla en mil pedazos. Unos brazos se cuelan en el interior y le tocan el cuello. Tratan de desabrocharle el cinturón, pero no lo alcanzan.

—¿Estás bien? —pregunta un hombre.

—Sí…eso creo. Me duele la cabeza por el golpe. —Un hilo de sangre mana de su frente.

—Te sacaremos rápido. Ya hemos pedido una ambulancia. ¿Puedes mover las piernas?

—Sí. Creo que solo ha sido el golpe contra el volante.

El hombre por fin llega hasta el cinturón de seguridad y se lo desabrocha. Ayudado por una chica, consiguen sacarlo del habitáculo. Lo tumban boca arriba sobre el asfalto. PJ abre los ojos y trata de girar el cuello para comprobar qué ha pasado. El hombre lo detiene.

—Procura no moverte, podrías tener dañada alguna vertebra. ¿Sabes qué ha ocurrido?

—Todo me ha fallado. No me respondían los frenos. ¿Y el otro coche?

—Está bien, no te preocupes. Ahora te atenderán.

PJ apoya la cabeza contra el asfalto y trata de relajarse. El tráfico se ha detenido, ya que los coches han quedado cruzados en los dos carriles. El sonido de una ambulancia se escucha de fondo. Trata de abrirse paso entre el atasco.

De pronto, todo se transforma en silencio. PJ abre los ojos, asustado, y trata de levantar la cabeza. Entre la gente, una figura le resulta familiar: Toro está a varios metros de él. Está apoyado en el guardarraíl de la carretera, sonriente.

—¡Ese! ¡Ese de ahí ha sido! —grita, señalando a Toro.

—¿De qué me estás hablando? Apoya la cabeza si no quieres lastimarte.

PJ vuelve a mirar pero ya no está. Intenta levantarse, pero se lo impiden. La ambulancia acaba de llegar y una médico le hace varias pruebas para descartar lesiones medulares. Le ponen un collarín y, una vez inmovilizado, lo suben con cuidado a la camilla. PJ mira hacia la carretera por si vuelve a ver a Toro, pero parece que se lo ha tragado la tierra.

Las puertas se cierran. Activando la sirena, la ambulancia desaparece del lugar a gran velocidad.

—¿Cómo te llamas? —pregunta la médico mientras le toma la tensión.

—David. Si necesitas la tarjeta sanitaria, está en mi cartera. —Trata de palparse el bolsillo trasero del pantalón.

—Está bien, tranquilo. No hará falta. Vamos al hospital Doce de Octubre. ¿Tenemos que llamar a alguien?

PJ sonríe al escuchar el nombre del hospital. Casi está tentado de pedirles que lo dejen en el centro de trabajo donde tenía la entrevista.

—No. Vamos a esperar a ver qué tengo. No quiero asustar a nadie.

—Pues con el golpetazo que llevas en la cabeza, la noche en observación la tienes asegurada. Me han comentado que estabas teniendo alucinaciones.

—No eran alucinaciones, pero no me voy a molestar en explicarlo. ¿Qué harán con mi coche?

—No lo sé. Supongo que la oficina de atestados de la Policía Municipal se pondrá en contacto contigo. Entiendo que se lo llevarán al depósito.

—Por mí, como si lo llevan al desguace. No me ha saltado ni el airbag.

La ambulancia llega a Urgencias y unos celadores abren las puertas traseras. Con cuidado, bajan a PJ y lo meten sin demasiada prisa dentro del centro. La médico los acompaña terminando de rellenar el informe.

Tras pasillear durante unos minutos, llegan a un box donde entre varias personas lo trasladan de una cama a otra. Enseguida, una enfermera le abre una vía en la muñeca para hacerle una analítica. Después, le suministra suero. Otra compañera le examina la brecha de la frente, taponándola con una gasa. Llega el médico de Urgencias y habla durante unos segundos con la responsable de la ambulancia. PJ no logra entender nada de la conversación. Ambos se despiden y se marchan sin mirarlo. Después, el médico entra y se sienta a los pies de la cama. Parece demasiado joven para ser el jefe de Urgencias de un hospital como este.

—Hola, David. Me presento: me llamo Antonio Bachiller, y soy el responsable del área de Urgencias del Doce de Octubre. Voy a llevar tu caso. Cuéntame, ¿te duele algo en concreto?

—Sobre todo, la cabeza. Pero no siento nada más.

—Ya veo. Tienes un corte por el impacto contra el volante. Ya me han comentado que no te saltó el airbag.

—Ni me respondieron los frenos. No sé qué coño ha pasado.

—Bueno, no te preocupes. Estás en buenas manos. — El doctor le sonríe y, dándole una palmadita en la pierna, se levanta.

Desaparece tras las cortinas. PJ palpa el bolsillo de su pantalón y saca el móvil. No tiene ningún mensaje. Busca el contacto de Gema, pero la enfermera llega en ese momento y le quita el teléfono. PJ trata de recuperarlo, pero la chica se lo guarda en el bolsillo de la bata.

—No voy a robártelo, no te asustes. Pero ahora no puedes llamar: provocarías interferencias con las máquinas y aquí al lado hay un caso más grave y necesita monitorización. Si necesitas que llamemos a alguien, dínoslo y lo haremos desde recepción.

—No hace falta. Esperaré.

—Ahora te haremos un *scanner* en la cabeza para descartar cualquier lesión. En unos minutos vendrán a por ti.

El muchacho resopla con resignación. Mira su reloj y comprueba que ya ha pasado la hora de la entrevista. Otra puerta que se le cierra. No quiere seguir pensando y cierra los ojos. Nota cómo alguien le mueve la cama y observa cómo lo llevan a hacer la prueba.

Tras zigzaguear por los pasillos, llegan a la zona de rayos X y entran en una sala donde dos personas lo esperan.

—Tardaremos poco —indica uno de los hombres.

Una vez realizada la prueba, lo devuelven al box. Tras dos horas allí tumbado y sin otra cosa que hacer salvo escuchar el trajín de unas urgencias, por fin entra el doctor Bachiller con unos papeles en la mano. Se vuelve a sentar a los pies de la cama, sonriente.

—Tengo una buena y una mala noticia, David. ¿Por cuál empiezo?

—No tengo ganas de juegos.

—Bueno. La mala es que tendrás que quedarte toda la noche en observación, pero te llevaremos a una habitación. Están las urgencias colapsadas.

—Joder. ¿Y la buena?

—Está descartada cualquier lesión en la cabeza y en las cervicales, y la analítica es normal. Tienes un traumatismo craneoencefálico leve. Mañana, si no hay complicaciones, podrás marcharte. Me dijo la enfermera que querías llamar a alguien. Enseguida te suben a planta y allí podrás hacerlo tú mismo. Procura descansar. —El médico le devuelve el teléfono.

—Muchas gracias.

Dejándole el informe sobre el pecho, se marcha. Tras él llega un celador con una silla de ruedas. PJ se levanta ayudado por él y se sienta. Sin mediar palabra, se lo lleva del box hasta llegar a uno de los ascensores que utiliza el personal. Marca la quinta planta. PJ mira su móvil y comprueba que tiene varios mensajes de Gema preguntándole por la entrevista de trabajo. Tuerce el gesto y hace el amago de responder, pero prefiere llamar.

Llegan a la planta y lo meten en su habitación. Comprueba aliviado que son individuales. Al menos, nadie le molestará durante la noche. El celador se marcha y el chico se sienta en la cama. Mira a su alrededor y se siente solo. Una televisión que funciona a base de monedas adorna la blanca pared. Enfrente de él, un pequeño sofá y una silla. A la entrada de la habitación están el armario y el baño.

Entra una enfermera sin llamar a la puerta.

—Buenos días. Necesito que estés tumbadito en la cama y tranquilito, son órdenes del doctor. Ahí tienes el pijama del hospital y una bolsa grande para que metas tus cosas. Luego, vendremos a tomarte la tensión.

Sin decir nada más, la señora desaparece dando un sonoro portazo. PJ levanta las cejas ante la delicadeza de la enfermera. Se cambia en el baño y se tumba en la cama. Coge el móvil y marca el número de Gema.

—Hombre, ya era hora. ¿Cómo te fue la entrevista? —El tono de la chica no suena amigable.

—Hola, Gema. Pues no he podido ir. He tenido un accidente con el coche y estoy en el hospital.

—Mira que lo había imaginado. ¿En cuál?

—El Doce de Octubre. Me quedaré toda la noche. Pero no te preocupes, no tengo nada, solo el golpe.

—Está bien. Dime la habitación que voy para allá.

—522. Es la quinta planta.

—Te veo en un rato.

Gema cuelga y PJ deja el móvil sobre la mesita donde está la bandeja que utilizan para la comida. Trata de relajarse y cierra los ojos. El estrés que ha vivido ha hecho mella en él y no consigue mantener la mente despejada. Permanece así unos minutos. De pronto, la habitación se oscurece y la cama se desplaza hacia el centro de la habitación como si alguien la hubiese empujado con gran fuerza. PJ se agarra a la misma para no caer.

El corazón se le sale por la boca. No sabe qué está pasando. Se abre la puerta y entra un ser que horroriza al muchacho: una especie de enorme lobo que anda sobre sus patas traseras. Su tamaño es desproporcionado, y unos blancos colmillos sobresalen de su hocico. Abre la boca emitiendo un escalofriante rugido que hace temblar las paredes.

PJ grita, pero nadie parece acudir ante semejante escándalo. La bestia se acerca a él y, de un zarpazo, destroza la mesita. Con su espantosa garra, coge a PJ por el cuello y lo levanta a un metro de la cama. Lo acerca a su fétida boca y le lame toda la cara, regostándose. La baba caliente y viscosa le resbala por el cuerpo.

El sonido de la puerta provoca que PJ abra los ojos. Se sienta sobre la cama asustado y sudando como un pollo. Trata de orientarse y puede ver a la enfermera portando una bandeja con una taza y fruta. Extrañada, ella lo mira sorprendida.

—¿Estás bien, chico? ¿Llamo al médico?

—No…me quedé dormido y he tenido un mal sueño.

—De acuerdo. Te traigo un poco de leche caliente y fruta. Te lo dejo ahí encima.

La enfermera despliega la bandeja de la mesita y deposita el desayuno. Comprueba la temperatura de PJ y se da media vuelta. Antes de marcharse, lo mira apoyada en el quicio de la puerta. Le sonríe y cierra al salir.

PJ se pasa la mano por el pecho y comprueba que el corazón sigue latiéndole demasiado deprisa. Ha tenido una pesadilla horrible, pero era tan real que se ha quedado sugestionado. Mira el reloj. Tan solo ha pasado media hora desde que le dieron la habitación.

Suena su móvil.

—Espero no haberte asustado demasiado. Nos vemos esta noche.

26

—Menudo susto me has dado, capullo. Parece que te gusta provocarme el infarto.

Cifu pasea nervioso por la habitación 522 del hospital Doce de Octubre. Laura está sentada junto a Gema, ambas con cara de circunstancias. La televisión está conectada en el canal veinticuatro horas.

Son las siete de la tarde y Madrid comienza a oscurecerse. PJ permanece tumbado tal y como le indicó el médico. Los analgésicos han hecho su efecto y ya no le duele la cabeza. Una enfermera le curó la herida de la frente que finalmente no necesitó puntos de sutura. Entre lo sucedido durante el Camino y esto, PJ ha quedado marcado para siempre.

—¿Desde hace cuánto que no revisas el coche? —pregunta Laura.

—No os lo repetiré más veces. Sonó su voz por los altavoces y después todo comenzó a fallar. Ha sido él. —PJ lo tiene claro—. Y después, lo vi. Me miraba y se reía.

—Nadie más lo vio, David. El médico nos ha dicho que sufriste alucinaciones cuando te sacaron del coche. Creo que deberías pedir ayuda. Has sufrido mucho en estos últimos meses.

—Pensad lo que queráis. La historia ya la conocéis, y Gema sabe que no miento ni exagero. Pero lo entenderé si os queréis alejar de mí.

—No vamos a dejarte solo. Nunca lo hemos hecho. Pero sí que es verdad que debería verte un especialista. No es nada malo, PJ. —Cifu trata de conciliar.

—Ningún loquero podrá solucionar lo que me persigue. Si no os importa, me gustaría descansar un poco. Mañana, cuando me den el alta, os llamaré para que nos vengáis a buscar. —PJ mira a Gema, que le sonríe.

—Claro. Pasad buena noche y tratad de descansar.

Cifu se funde en un abrazo con PJ, y le da dos besos a Gema. Laura hace lo mismo. Ambos salen de la habitación dejando solos a la pareja. Gema se levanta apoyada en su muleta y se sienta en la cama junto a PJ. Se recuesta a su lado y suspira. Necesita sentirlo.

—Tú sabes que digo la verdad, ¿a que sí?

—Lo he visto con mis propios ojos. No tienes que contarme nada más.

—Ahora que estamos solos, puedo decírtelo: esta mañana me dormí y tuve una pesadilla horrible. Aparecía Toro con forma de bestia y me atacaba. Fue demasiado real.

—Es normal que tengas esos sueños. Pero es solo eso: un mal sueño.

—No lo fue. Cuando desperté, me llamó. Ha sido un aviso.

En ese momento, una enfermera entra a la habitación con la cena en la bandeja. Sin decir siquiera un hola, la deposita en su lugar y se marcha. Gema se levanta y retira la tapa. Un puré de verdura con una pinta dudosa y un escalope de pollo le esperan. El gesto de Gema lo dice todo.

—Tres estrellas Michelín, ¿no? —PJ arquea las cejas, resignado.

—Que lo disfrutes. Voy a por un café de la máquina.

Gema lo besa con dulzura y sale de la habitación. PJ se incorpora y mira de reojo la comida. Tiene hambre, por lo que coge la barrita de pan y le pega un buen bocado. Se queda mirando a la televisión y ve un rostro que le resulta familiar. Coge el mando y sube el volumen.

A PJ le cambia la cara por completo. En la imagen sale la foto de Yaiza, la chica que le presentaron ayer. Lleva desaparecida desde ayer por la noche.

—No puede ser —murmura por lo bajo.

Hace el amago de llamar a Laura, pero se percata de que deben de estar saliendo del hospital. No quiere alterarlos más y prefiere esperar. Según comentan en las noticias, la chica fue vista por última vez caminando por las calles del barrio.

En ese momento entra Gema con un café en la mano. Mira a la televisión debido al volumen tan alto que ha puesto PJ.

—Se van a quejar a las enfermeras.

—¿Ves a esa chica? ¡Es Yaiza! La que me presentaron ayer. ¡Ha desaparecido!

—No me jodas. ¿Crees que ha sido ese malnacido?

—¿Quién si no? Si está en la ciudad, tendrá que alimentarse, y no tiene ningún escrúpulo. —PJ apaga la tele.

Gema se sienta a su lado y toma un sorbo del café. Hace una mueca de asco, pero no hay nada decente en todo el hospital a esas horas. El chico trata de probar el puré, pero el olor no le anima nada. Prefiere comerse el escalope.

Tocan a la puerta. Se abre con lentitud y una anciana de unos noventa años se asoma. Parece desorientada. Viste un vestido floreado y unas zapatillas de lona negra. Mira a los ojos de PJ y sonríe. Sin pedir permiso, comienza a caminar hacia la pareja. Se apoya en su bastón y se mueve con bastante dificultad. Se sienta en el pequeño sofá. Suspira aliviada por el esfuerzo.

—Señora, creo que se ha equivocado de habitación. —Gema se levanta y se acerca a la anciana.

—Niño, ¿tú eres David? —pregunta la mujer, ignorando a Gema.

—¿Qué quiere? —desconfía PJ.

—Me llamo Benita. Y vengo de parte de una persona que ya no puede estar aquí. Tú sabes de quién hablo —responde la señora con un marcado acento gallego.

—Explíquese.

—Chon me ha dado esto para ti.

Al escuchar ese nombre, PJ esboza un gesto de sorpresa. La señora saca una caja de madera de su bolso. Tiene el tamaño de una caja de puros y está delicadamente tallada. Parece tener muchos años, y una inscripción en latín adorna la apertura. Se la ofrece a PJ, y este la coge. Lee la frase:

«Hic iacebunt metus».

—¿Qué significa esto? —pregunta PJ, confundido.

—Aquí yacerán tus miedos.

—Bien. Usted dice que viene de parte de Chon. Está claro que no puede inventarse algo así. Ella murió hace unos meses en Villafranca del Bierzo. ¿Cómo es posible esto?

—Era mi hermana. Y no solo compartíamos la ropa: también el don que te hizo llegar hasta ella. Anoche vino a verme y me dijo que te entregara esto.

—¿Y qué es? ¿Tiene algo dentro? —pregunta Gema.

—En su interior aún no hay nada. Lo que tiene que tener, tendrás que irlo a buscar.

—Por favor, vaya al grano. Estoy empezando a ponerme nervioso.

—Las piedras lograron retener su maldad un tiempo, pero se ha sobrepuesto y logró matar a sus portadores. Solo faltáis vosotros dos.

—¿Vicente está muerto?

—Cayó la misma noche que mi hermana.

PJ se deja caer sobre la cama y se tapa la cara con las manos. Llora al recordar su rostro. Gema se acerca y trata de consolarlo, pero él no quiere que lo vea. Benita permanece sentada sin apenas gesticular. Tras unos minutos, PJ por fin se recompone un poco. Se vuelve a sentar y mira a la anciana con los ojos rojos por las lágrimas.

—¿Qué tengo que hacer?

—Debes ir a su terreno, al lugar de donde salió. Allí podrás vencerlo definitivamente.

—¿En Villafranca? —pregunta Gema.

—No. Él es El Peregrino, la sombra de la columna en la Catedral de Santiago. Un demonio, tal y como te contó Chon.

—No la estoy entendiendo. —PJ está confundido.

—Está maldito. Cada atardecer, su sombra aparece junto a una de las columnas de la catedral. Si eres listo, puedes verlo. Está condenado a permanecer allí por el resto de los siglos, pero cada cincuenta años puede librarse de su condena, y es entonces cuando da rienda suelta a su maldad. Pero tan solo cuenta con unos meses. Después, regresa a su particular cárcel. Es responsable de multitud de desgracias.

—¿Y los lobos? —pregunta Gema.

—Esas pobres bestias solo están bajo los efectos de su poder. En cuanto deje de merodear sus montes, volverán a su hábitat.

—Pero Él está aquí. Lo he visto esta mañana.

—No. Está actuando desde mi tierra. En breve regresará a la catedral, y es allí donde deberás acabar con él. La caja es la clave.

—¿Qué tengo que hacer? No sé cómo puedo vencerle.

—Tienes que leer la inscripción de la caja justo cuando el sol caiga en la tarde del día dieciocho del noveno mes. Su sombra quedará atrapada en ella.

—¡Pero eso es dentro de dos días! —exclama PJ.

—Por eso estoy aquí. No podéis permitir que vuelva a salir, aunque sea dentro de cincuenta años. Hacedlo por los caídos.

El silencio se apodera de la habitación. Las palabras de Benita han calado hondo en PJ, que piensa en cómo podrá enfrentarse a semejante bestia. Sabe que le tiene ganas, y que no se lo pondrá fácil.

Benita se levanta y, con parsimonia, se acerca a Gema. Le coge el amuleto que cuelga de su cuello, el pentagrama que le regaló Chon. Lo reconoce y le sonríe. Después se acerca a la cama de PJ y le da la mano. La piel arrugada de la anciana llama la atención del chico.

—Mi hermana no tendría que haberse marchado tan pronto. Por edad, me correspondía a mí. Chon está orgullosa de vosotros.

—Si habla con ella, dígale que la queremos. Y que lo conseguiremos. —Gema sonríe, confiada.

—Lo hago cada anochecer. Tened cuidado. Buenas noches.

La anciana coge su bastón y, caminando despacio, abandona la habitación. Antes de salir dedica una última mirada a la caja. Cierra la puerta dejándolos en soledad. PJ sostiene la caja en sus manos. No puede entender cómo algo tan simple puede contener tanta fuerza.

La vuelve a abrir y pasa la mano por su interior. Nota una extraña corriente entre los dedos. La cierra asustado. La deposita sobre la cama y se baja de la misma. Gema se apresura a detenerlo, pero PJ la aparta. La mira a los ojos. Ella le comprende.

—Quieres marcharte ya. ¿Me equivoco?

—No. El problema es cómo nos vamos hasta Santiago. Mi coche parece un acordeón.

—Podemos alquilar uno. ¿Quieres que llame al médico para pedir el alta voluntaria?

—No. Voy a vestirme y nos largamos ya. Controla el pasillo.

Se pone en pie y nota que la cabeza le da vueltas. Logra mantener el equilibrio a duras penas. Gema lo coge del brazo y le ayuda a llegar hasta el baño. Le acerca la ropa del armario y comienza a quitarle el pijama.

La enfermera entra sin llamar para recoger la bandeja de la cena. Se sorprende al no ver a nadie y toca en la puerta del baño.

—Lo estoy aseando un poco antes de dormir —indica Gema para evitar sospechas.

—Si necesitan ayuda, toquen el botón rojo. Que tengan buena noche.

Sale de la habitación y los dos respiran aliviados. Tras unos minutos, PJ ya está listo y se queda sentado en la taza del váter. Gema abre con cuidado la puerta y se asoma al pasillo. Por la hora que es, todo parece despejado. Se escucha de fondo el murmullo de la sala de enfermeras y el pitido intermitente de la máquina del inquilino de al lado.

Gema asoma la cabeza y, sin articular palabra, le levanta el pulgar. PJ se incorpora y los dos salen andando con tranquilidad. A pesar de la cojera, ella camina con agilidad. Tras pasar por la sala de espera, llegan a los ascensores. Uno de ellos se abre nada más pulsar el botón y entran. El corazón de PJ late a toda velocidad.

—¿Llevas la caja? —pregunta PJ, alarmado.

—Sí, debajo de la chaqueta.

El ascensor se abre en la planta baja. Los dos comienzan a caminar hacia la salida como si tal cosa. Nadie les da el alto.

Gema saluda al empleado de seguridad de una manera natural, el cual le devuelve el saludo sonriente. Mañana por la mañana se le borrará la sonrisa al comprobar que un paciente se ha escapado.

La noche se presenta fría y con amago de lluvia. Gema levanta la mano y para un taxi. Enseguida se detiene y ambos entran.

—A la estación de Atocha, por favor.

El coche arranca y sale del hospital. Encara la rotonda dejando a mano izquierda el edificio Vértice. PJ lo mira con detenimiento, ya que allí era donde tenía que hacer la entrevista. Tras coger la salida a la carretera, el taxi entra en la vía de circunvalación M30 en dirección a Vallecas. Una vez allí, entra en el casco urbano para encarar la avenida Ciudad de Barcelona. Tras diez minutos, el coche encara la estación.

Gema le paga la carrera y ambos cruzan la calle hasta llegar a la terminal de llegadas. Bajan las escaleras mecánicas y, tras recorrer un largo pasillo, llegan hasta donde están las empresas de alquiler de coches.

—¿Tienes alguna preferencia?

—No tengo un euro, Gema.

—Paga el ejército, no te preocupes. —Ella le guiña un ojo—. Ya que alquilamos, vamos a pegarnos un buen homenaje. ¿Has viajado alguna vez en un BMW?

—Gema, con un Corsa valdrá. No gastes más de la cuenta.

—Ya te he dicho que no lo pagaré yo. Tengo la tarjeta muerta de risa y el límite bastante alto. Es un viaje largo, y lo mínimo es ir cómodos y seguros.

—Como quieras. Venga, démonos prisa.

Entran al local y, tras charlar con la empleada, eligen el coche. Finalmente se decantan por un todoterreno: un BMW X3. Bajan hasta el aparcamiento donde les espera un compañero que les indica dónde tienen el coche.

PJ se queda asombrado al ver la majestuosidad del vehículo. Aprieta el botón del mando y una verbena de luces parpadea por todo el coche. Abre la puerta del conductor y el interior le maravilla. No se ha visto en otra igual nunca.

—¿Estás bien para conducir? Yo, con la pierna así, no me atrevo —pregunta Gema.

—Me encuentro bien, pero nunca he conducido un automático.

—Es fácil. Deja quieta la pierna izquierda, y listo. Te recuerdo que no hay embrague.

—Bien. Vamos allá.

PJ pulsa el botón de arranque y el motor se activa de una manera suave. El panel de control se ilumina y comienza a sonar una emisora de radio. Gema se apresura a poner su sintonía preferida. PJ la mira y ella sonríe.

Abandonan el aparcamiento y ponen rumbo a Galicia. El GPS marca seiscientos cincuenta kilómetros. Les quedan seis horas de carretera.

Y Él los espera.

27

PJ detiene el vehículo en una gasolinera. Son las cinco de la mañana y Gema duerme como un bebé. No quiere despertarla, pero no tiene dinero para repostar. La besa con suavidad y ella se revuelve en su asiento. Bosteza de manera exagerada y abre los ojos. Encuentra los de PJ. Mira a su alrededor, desorientada.

—Estamos en Orense. Nos quedará una hora y media para llegar a Santiago. Hay que llenar el tanque. No veas lo que traga la bañera esta.

—Perdona por dormirme. Tendría que haberte dado conversación.

—No te preocupes. He ido escuchando la radio. Por la noche hay programas muy curiosos. ¿Quieres comer algo?

—Sí, vamos a cenar. —Gema mira la hora y se sorprende por lo tarde que es—. Bueno, más bien a desayunar.

Salen del coche y, tras pagar la gasolina, se sientan en una de las mesas que hay en el interior. Acaban de abrir la gasolinera y huele a café recién hecho. La dependienta les sonríe mientras les sirve una taza. Un par de napolitanas de chocolate completan el desayuno.

La chica de la estación de servicio coloca los carteles del precio de los carburantes mientras mira de reojo el coche que han alquilado. Llama mucho la atención. No es acorde con su vestimenta, y eso le llama la atención. Se marcha tras la barra y se queda expectante. Ya ha sufrido un par de atracos y quiere estar cerca del botón que conecta con la policía.

PJ come con hambre, pero Gema apenas prueba bocado. Los nervios se mezclan con la tristeza de la noticia del fallecimiento de Vicente. Tenía la esperanza de que lo volvería a ver. Ahora, solo lo tendrá en sus recuerdos.

Apuran el café y, tras consultar el camino que les queda en el móvil, se ponen de nuevo en marcha para alivio de la empleada.

—¿Quieres llevarlo tú hasta Santiago?

—Termina el viaje. Lo cogeré una vez estemos allí. Prometo no dormirme. —Gema le guiña un ojo.

—Con que no resoples, me conformo.

El comentario jocoso del chico es respondido por una cariñosa palmada en la espalda. Ambos ríen. Arranca y salen de la gasolinera para incorporarse de nuevo a la autovía A52.

No hay tráfico, por lo que el ritmo que marca el BMW es poderoso. PJ no repara en los radares que pueda haber en la carretera. Su mente está puesta en Toro. Espera el momento de tenerlo otra vez cara a cara. Tiene miedo por no saber qué hacer cuando llegue ese momento. Se imagina una y otra vez la escena, pero nunca sale bien parado.

Cruzan por un paso elevado el río Miño mientras los primeros rayos de sol comienzan a distinguirse en el horizonte. Echa de menos sus gafas de sol. Gema contempla por la ventanilla el paisaje. El color verde, tan característico de Galicia, inunda sus pupilas. Baja un poco la luna para contagiarse de su aire puro.

Tras casi una hora y algo conduciendo, el coche entra en la provincia de Santiago de Compostela. Abandonan la autovía para enlazar con la carretera SC-11 y entran en la ciudad por la Rúa do Hórreo. El GPS les indica que están a cinco minutos del centro de Santiago. PJ aminora la marcha y observa lo que tiene a su alrededor. Son las seis y media de la mañana y la claridad lo llena todo. La ciudad aún duerme, y apenas varios coches y un camión de basura recorren las calles. Es lunes, y a pesar de ser día laborable, no parece causar efecto en la urbe.

Llegan hasta la Rúa do Vilar y PJ estaciona el voluminoso todoterreno en un aparcamiento subterráneo. La zona parece peatonal y no quiere dejarlo en cualquier sitio sin conocerlo. Al salir de nuevo al exterior, notan un frío intenso. Apenas van abrigados, por lo que pasan un momento algo desagradable. No han traído nada de equipaje.

Gema observa que hay una oficina de turismo cerca. Está cerrada, dada la hora que es, pero fuera tiene un pequeño *stand* metálico con varios folletos con actividades de la zona. Junto a ellos, un par de mapas del Camino de Santiago. Gema coge uno y comprueba con satisfacción que también hay otro de las calles de la ciudad. Enseguida sitúa la Catedral de Santiago.

—Estamos a tres calles de la Plaza del Obradoiro. Ahora toca esperar. ¿Qué hacemos mientras? —pregunta Gema.

—De momento, meternos en algún sitio. Estoy helado.

Entran en una cafetería. Mientras se sientan, suena el móvil de PJ. Mira la pantalla. Es Laura.

—Buenos días.

—¿Cómo que buenos días? Acabo de llamar al hospital para preguntar cómo habías pasado la noche y me han dicho que te has marchado sin el alta. ¿Dónde coño estás?

—Tranquilízate, Laura. Estoy bien, lo primero. No puedo decirte dónde estoy. Sé que vendrías a por mí.

—Iría solamente para darte dos hostias. ¡No haces caso a nadie, David! —El volumen de Laura sube por momentos—. Que sepas que Cifu está muy enfadado. No quiere ni hablar contigo.

—Lo entiendo. Si todo va bien, en un par de días estaré de nuevo por el barrio. Solo te pido que no le digas nada a mi familia. Han pasado ya bastante en estos meses.

—No te prometo nada. Supongo que estarás con ella, ¿verdad?

—Así es. Mañana, si quieres, hablamos. Cuidaros.

PJ cuelga sabiendo que quizás sea la última vez que escuche la voz de su mejor amiga. Trata de recordarla cerrando los ojos. Gema lo agarra de la mano y se la aprieta con fuerza. Sabe que todo está a punto de terminar. Necesita ser fuerte para tirar de él.

—Venga, tomemos un café y vayamos a comprar un abrigo. Vamos con lo puesto. —Gema levanta la mano para llamar la atención del camarero.

PJ sonríe. Está tranquilo por poder contar con ella. Se da cuenta de que en todo momento ha tenido que depender de alguien. No seguiría vivo si no fuera por Gema.

Apuran el café y salen a la calle. La ciudad parece que ha cobrado vida. La gente viene y va inmersa en sus pensamientos. Los niños van al colegio acompañados de sus padres, y los sonidos característicos de una gran urbe entran por su oído. Por un momento, se siente protegido entre tantas personas.

Pero al girar la cabeza distingue algo al final de la calle. Completamente quieto, lo que parece ser un perro grande le observa desde la distancia. PJ trata de arrugar los ojos para agudizar la vista. Coge de la mano a Gema para avisarla. Ella no entiende el gesto.

—¿Ves aquello del fondo? Dime que es un perro.

—Yo no veo nada. Solo un camión de reparto.

Varios animales aparecen de varios puntos y se juntan en una especie de manada. Serán más de diez y todos están quietos, mirando hacia él. Comienzan a correr. PJ da un par de pasos hacia atrás. Mira a su alrededor por si alguien también lo está viendo, pero nadie reacciona. De nuevo se gira y comprueba que se trata lobos. Los conoce demasiado bien como para equivocarse.

—¡Son sus lobos!

Comienza a correr por la calle hasta torcer la esquina. Gema no ve nada, pero no puede seguirle. Al llegar a la calle de al lado se mete en una tienda de ropa que acaba de abrir. Asustado, el muchacho mira por el escaparate. La manada aparece mirándolos a los ojos. Le han encontrado y dejan caer su viscosa baba. Gruñen. Varias bestias más aparecen uniéndose a los demás. También de detienen frente a él.

—¡Joder! ¡Cierre la tienda!

—¿Se encuentra usted bien? —La dependienta no sale de su asombro.

—¿No los está viendo? ¡Son lobos! ¡Ahí mismo!

—Voy a llamar a la policía si no se marcha ahora mismo. Ahí fuera no hay nada.

En ese momento entra Gema con la respiración agitada. Le cuesta mucho moverse deprisa. Mira a los ojos de PJ, que están inyectados en sangre. El chico no repara en ella, pues sigue mirando a la calle viendo algo que solo él puede. Gema lo agarra de la cara y la gira hacia ella. PJ sale del trance y por fin repara en ella. Después mira de nuevo al exterior, pero no ve nada.

—¿Los has visto? Dime que sí.

—Lo siento, cariño: está jugando contigo. Te está llevando al límite, y lo está consiguiendo.

—Pero estaban ahí fuera. Esta vez era real.

—Lo ha sido. Pero solo tú has podido verlo. —Gema trata de calmarle—. Perdone, señora, ya me lo llevo —se disculpa ante la dependienta.

Los dos salen de la tienda. PJ se siente avergonzado, pero lo que ha vivido ha sido real. Mira nervioso a su alrededor, pero no distingue nada extraño.

Tras unos minutos caminando se topan sin querer con la plaza del Obradoiro. PJ abre la boca al observar la majestuosidad de la Catedral de Santiago. Nunca había podido verla, y lo que había escuchado sobre ella se queda corto. Su compañera sonríe al verla.

El Pórtico de la Gloria se encuentra frente a ellos. La doble escalinata que sube a la catedral se llena de turistas deseosos de fotografiarla. La piedra envejecida por el paso de los años y el clima gallego le otorga un aspecto romántico, casi fantasmagórico. Las cuatro columnas que adornan el pórtico llaman la atención de PJ.

—Aquí acaban todos los peregrinos. Y aquí deberíamos haber llegado nosotros, pero en otras circunstancias. —PJ suspira nostálgico.

—Pero estamos aquí. No podemos renunciar ahora. —Gema palpa la caja que mantiene escondida bajo su chaqueta.

—¿Estará viéndonos en estos momentos?

—No lo dudes. Sabe que hemos venido a por él, y no será fácil acabar con esta pesadilla.

—Pero hasta esta noche no podremos saberlo. ¿Te apetece verla por dentro? —PJ sonríe animado.

—¡Claro!

Los dos atraviesan la plaza hasta llegar a la escalinata. Suben y acceden al templo. A su espalda, y escondido en la oscuridad que le ofrecen los soportales, unos ojos brillantes lo observan todo.

Toro aprieta los dientes.

28

PJ mira su reloj compulsivamente. Está muy nervioso y apenas puede mantener la calma. A su lado, Gema no lo está pasando mucho mejor. Mira a su alrededor para ver si es capaz de distinguir a la bestia, pero solo ve turistas y peregrinos reventados por tan largo camino.

Muchos de ellos han completado la hazaña andando, pero otros han llegado en sus bicicletas. Al fin y al cabo, el propósito es el mismo. Al fondo de la plaza, junto a las escalinatas, un grupo que llegó hace una media hora prepara una *queimada*. No tendrán más de veinte años, pero se los ve muy cansados. Uno de ellos aporrea una guitarra de cualquier manera. Flaco favor le hace a la música.

Los dos están agazapados en los soportales que rodean una parte de la plaza. Llevan unos abrigos de color negro que Gema compró en una tienda de deportes. Tras la visita a la catedral, pudieron descansar bien en el interior del coche, que sigue en el aparcamiento.

Son las siete y media de la tarde y el cielo comienza a teñirse de un color cobrizo. Parece que las nubes se cubren de sangre. PJ piensa que no es un buen presagio. Abre y cierra la caja que Benita le confió en el hospital. Lee la inscripción en latín una y otra vez. Sin ser consciente de ello, la memoriza. Las luces que iluminan la catedral cada anochecer comienzan a emitir un leve chasquido. A los pocos segundos luce en todo su esplendor.

—La sombra no tardará en aparecer. Hay que estar en el momento justo. —Gema se pone en pie.

—Pues vamos para allá.

En ese momento, un relámpago cruza de lado a lado el cielo de Santiago. A los pocos segundos, un trueno suena no demasiado lejano. PJ mira al cielo con gesto de preocupación. La mayoría de los allí presentes comienzan a abandonar la plaza en vista de la tormenta que se avecina. Todo se oscurece por momentos. Las nubes, de color oscuro, no presagian nada bueno. Gema le da la mano. Está muerta de miedo.

Otro relámpago provoca que las primeras gotas de lluvia caigan sobre la ciudad. La gente huye de la zona como si del mismísimo demonio se tratara. Pero PJ y Gema siguen allí: frente a las escalinatas que dan al Pórtico de la Gloria. Delante de ellos, las cuatro columnas.

—Le estoy notando. No preguntes cómo, pero está aquí. —PJ aprieta la mano de Gema con fuerza.

—No queda nadie en la plaza. Yo no veo a nadie. —Gema gira la cabeza tratando de distinguir algo.

La lluvia cada vez es más fuerte, casi torrencial. El frío entumece el cuerpo de PJ, que tiembla como un flan en la mano de un anciano. Su abrigo apenas contiene el aguacero.

—No vamos a conseguir verle. Con las nubes, será imposible ver las sombras que provoca la puesta de sol.

—Pero tiene que regresar. Eso nos dijo Benita.

—No sé, PJ. ¿Y si nos mintió? Ya no sé qué creer.

Gema levanta la cabeza y esboza un gesto de sorpresa. Una sombra recorre los muros; poco a poco, avanza hacia el pórtico hasta acabar en una de las columnas.

—¡Mira!

La chica señala la sombra. Con lentitud, va tomando forma hasta que se distingue con claridad la silueta de un peregrino. PJ retrocede un par de pasos, aterrorizado. Sabe que es él. Tras varios meses fuera de estas tierras, vuelve a reencontrarse con sus temores.

Varias veces estuvo a punto de matarlo, y eso PJ no lo olvida. Aprieta los dientes y se envalentona. Suelta la mano de Gema y comienza a caminar hacia las escalinatas con la caja en la mano. Ella trata de seguirlo a una distancia prudencial.

PJ se detiene antes de subir. La sombra desde ahí es aún más clara. Inmóvil, mira a su alrededor. Están solos en la plaza. La lluvia intensa rebota contra las piedras erosionadas del edificio, y el agua comienza a bajar por los escalones como si de un pequeño torrente se tratara.

—Sal de ahí, Toro. Llegó el día en que dejarás de hacer el mal.

PJ abre la caja.

No se escucha nada. Gema permanece en segundo plano. Los únicos ruidos que se perciben son los de la lluvia al caer. Un relámpago ilumina la entrada a la catedral, y es entonces cuando se distingue con claridad la característica silueta de la bestia.

—Hola, amigo. Al final no has podido resistirte y has venido a verme. Es todo un detalle por tu parte. —La voz de Toro se escucha más grave de lo normal.

—Estoy aquí para acabar con todo esto. Ya has matado suficiente.

—Me tienes realmente preocupado. ¿Crees que tú y tu amiga la lisiada podréis hacer algo que pueda afectarme? —Toro habla con ironía.

—Quizás te sorprenda. Una persona que te hizo frente en su día nos ha ayudado.

—Sé de quién habláis. No os molestéis en sacar más piedrecitas de esa apestosa posadera. No tienen efecto sobre mí. Ya no.

—Lo sabemos. Chon no nos ha traído eso.

En ese momento, PJ le muestra la caja. Toro sale de las sombras y se deja ver. Sigue estando igual que la última vez que se vieron.

—¿¿De dónde has sacado eso?? ¡No puede ser! —grita con los ojos inyectados en sangre.

—Es un regalo para ti. Sabíamos que te gustaría.

El hombre emite un desagradable silbido con la boca que rebota en las paredes de la catedral. Cada vez llueve más fuerte, pero eso no parece afectarle. Decenas de lobos comienzan a aparecer desde todos los puntos de la plaza. Forman en círculo rodeando a los chicos. Toro sonríe satisfecho al ver el miedo en los ojos del muchacho. Gema apoya su espalda contra la de PJ. Sabe que es el fin.

—Ha sido increíble el haberme encontrado contigo.

—Ni se te ocurra despedirte de mí. Esto no es el final.

Toro baja las escalinatas con parsimonia. Se recrea, se deleita en el terror que sienten. Para él no son más que dos sacos de carne y huesos, los mismos que alimentarán a sus lobos. Sonríe victorioso, una vez más.

Con un movimiento de un brazo, uno de los lobos se abalanza contra Gema. Le muerde en la pierna provocando un alarido de la chica. PJ le propina una patada en el vientre al animal, que suelta de inmediato a su presa. Se le encara, pero no hace el amago de atacar. Mira hacia su dueño esperando instrucciones.

—¿Estás bien? —pregunta PJ, preocupado.

—Apenas me ha traspasado el pantalón. Pero ha dolido.

—Y más que te dolerá, zorra de mierda —dice Toro—. Dentro de nada serás poco más que un trozo de carne picada. Y lo mejor es que obligaré a tu amigo a masticarte. Llenaré su boca con tus restos y tragará. Oh, vaya si lo hará.

—Con los vivos podrás, pero con los muertos lo tendrás más difícil.

La voz proviene del fondo de la plaza. En los soportales comienza a brillar una tenue luz. PJ y Gema se vuelven hacia ella sorprendidos. Toro aprieta los dientes de la rabia.

—Es el momento de abandonar este mundo. Sabes que no te pertenece. Se te da la oportunidad de que entres por tu propia voluntad —dice la voz.

—No pienso seguirte el juego, vieja. Vuelve por donde has venido. —Toro le habla a la luz.

—Lo haré esta misma noche. *Demo, chegou o teu fin. Aquí mentirán os teus medos.*

—¡Está hablando en gallego! ¿Qué ha dicho? —le pregunta PJ a Gema.

—Demonio, tu fin llegó. Aquí yacerán tus miedos. ¡Es lo mismo que pone en la caja!

Toro llega hasta la plaza y los lobos le escoltan hasta los dos, que lo miran atemorizados. Gira la cabeza hacia los soportales. En ese momento, la voz se hace presente: Chon sale de la oscuridad. Su rostro refleja paz. Vestida con una túnica blanca, camina descalza.

PJ esboza un gesto de sorpresa. No puede creer lo que están viendo sus ojos.

—Dios mío —susurra el chico.

Tras ella, varias siluetas se dejan ver. No se distingue quiénes son, pero al menos habrá más de seis personas. Gema llora al ver a la mujer. Hace el amago de ir a por ella, pero PJ la detiene.

—Déjalos marchar, Behemot, demonio del inframundo. Señor de las bestias.

—Esta noche no faltaré a mi cita con mi condena. Y volveré. Lo seguiré haciendo por toda la eternidad. —Toro parece estar incómodo pese a sus palabras.

—¡Chon! ¡Dime qué hacer! —PJ está al borde del infarto.

—La respuesta ya la sabes.

Chon desaparece entre las sombras de la noche. Una luz les ciega, y tras volver todo a la normalidad, distinguen a las personas que estaban detrás de ella. Son peregrinos, pero uno de ellos les resulta familiar. Antes de marcharse, se vuelve hacia ellos. Vicente les sonríe. A los pocos segundos, nada queda de la aparición. La lluvia es ahora la protagonista.

Gema sonríe. Su corazón se queda en paz sabiendo que ahora están en un sitio mejor. La eterna pregunta de si hay algo más allá de la muerte ha quedado resuelta para ella. El miedo desaparece, y se vuelve hacia Toro desafiante.

—¡PJ, la caja!

El chico abre la caja, mostrándosela a la bestia. Toro la observa y emite un rugido que retumba en toda la plaza. Los lobos se abalanzan contra él. Trata de zafarse, pero uno de ellos lo engancha por el abrigo y lo tira al suelo. La caja cae hasta quedar a los pies de Toro, que la mira con desprecio. PJ patalea en el suelo tratando de zafarse de las fauces de los animales, y Gema les golpea con la muleta. Son demasiados y apenas consigue lastimar a un par de ellos.

La voz de Chon comienza a sonar en la cabeza de PJ:

—Puedes hacerlo. Te esperaré cuando llegue el momento.

El muchacho recuerda la inscripción de la caja. Varios mordiscos le hacen salir del trance. Uno de ellos ha conseguido penetrar la ropa y la sangre comienza a manar por su pierna. El dolor es indescriptible.

Sacando fuerzas de donde no tiene, PJ mira a los ojos a Toro, que se recrea en su sufrimiento. Aprieta los dientes.

—*¡Hic iacebunt metus!* ¡Vete al puto infierno, hijo de puta!

La caja, que estaba tirada en el suelo, emite un destello cegador que provoca que los lobos cesen en su ataque. Confundidos, retroceden. Toro da varios pasos hacia atrás hasta tropezar con los escalones de la catedral. Su enorme cuerpo cae al suelo. La luz de la caja comienza a avanzar hacia él, que huye escaleras arriba tratando de alcanzar la columna donde está condenado. Cuando está cerca de conseguirlo, una fuerza invisible lo arrastra hacia atrás. Rueda por los escalones de manera aparatosa hasta darse de bruces contra el suelo. Levanta la cabeza para mirar a PJ. Extiende el brazo para tratar de agarrarlo, pero la fuerza de succión es muy fuerte, y finalmente se va transformando en un humo denso y negro que acaba dentro de la caja. Esta se cierra de inmediato.

Acto seguido, todo vuelve a la normalidad. Los lobos se quedan quietos sin saber muy bien qué están haciendo en ese lugar. Uno de ellos aúlla y comienza a correr para salir de la plaza. Los demás le siguen, desapareciendo por las calles colindantes.

Gema observa la caja. La lluvia no cesa y está completamente empapada. Se vuelve hacia PJ, que permanece tumbado boca arriba. Los ojos los tiene clavados en el oscuro cielo, y la boca entreabierta. Corre como puede hacia él.

—¡David! ¡Mírame, por favor!

PJ vuelve la cara hacia ella y le sonríe. Le ofrece la mano y ella se la da. Gema observa la herida de su pierna, que no deja de sangrar de manera abundante. El líquido rojo se mezcla con los charcos.

—¡Dios, estás muy malherido!

La exmilitar se quita el abrigo y trata de arrancar un trozo de tela para hacerle un torniquete. El rostro de PJ palidece por momentos, y su cuerpo se convulsiona. Sonríe de una manera extraña.

—¡No te duermas! ¡Mantente despierto!

—Gema, ha venido a por mí. ¿Le ves?

—¿Qué me estás diciendo? —Le incorpora la cabeza y la apoya contra sus piernas.

—Le echaba tanto de menos, Gema…

PJ levanta el brazo y lo mueve como si estuviese tratando de agarrar algo que solo él es capaz de ver. Su rostro refleja una serenidad impropia del dolor que tiene que estar experimentando.

—¿Qué estás viendo? ¡Dime algo, por favor! —Gema está desesperada.

—Papá, te prometí hacer el camino. Nunca supe el porqué de tu insistencia. Ahora lo sé. Me estabas esperando al final.

La joven se queda callada ante las palabras de PJ. Un escalofrío le recorre la espalda. El brazo del chico cae inerte al suelo y sus ojos se quedan fijos en la catedral.

—¡David! ¡No!

Gema comienza a masajear el pecho de PJ para reanimarlo, pero ha dejado de respirar. Lo golpea con fuerza varias veces, pero no reacciona. Trata de encontrarle el pulso sin éxito. Le agarra la cabeza y la acerca hacia ella. Le acaricia la cara y el pelo, llorando desconsolada.

PJ se ha marchado entre sus brazos.

—Ya estás con él, mi amor. Ya estás con papá.

EPÍLOGO:

Gema llega hasta la cripta que hay en el interior de la catedral donde reposan los restos del apóstol Santiago. Viene acompañada por Laura y Cifu. Gema porta la caja donde la bestia estará atrapada para siempre.

Uno de los sacerdotes los recibe y, con un gesto, les pide que lo acompañen. Recorren varios pasadizos excavados en la roca hasta llegar a una pequeña sala. Allí les espera un grupo de monjes. Huele a humedad, y el silencio es muy incómodo.

Gema le ofrece la caja a uno de ellos. Este la coge y la introduce en una caja metálica que sella a conciencia. Después, la mete en un agujero hecho en la fría piedra. Otro se apresura a taparlo con un mármol con una inscripción que a Gema le resulta familiar:

Aquí yacerán tus miedos.

Nota del autor:

Acabas de terminar mi cuarta novela (o todavía no la has empezado, que muchos empiezan por aquí…), y eso quiere decir que se culmina un proceso que ha durado muchos años. Quizá demasiados.

Todo empezó cuando tenía dieciocho. Aquel verano, recuerdo entrar en la plaza del Obradoiro completamente exhausto. Frente a mí, la majestuosa catedral de Santiago me daba la bienvenida a la ciudad, y a su vez, ponía el punto final a mi Camino de Santiago.

Tras de mí, casi doscientos kilómetros recorridos junto a mis amigos. Toda una experiencia que jamás olvidaré.

Cuando regresé a Madrid, mi cabeza bullía de información: necesitaba ponerme a escribir. De esa experiencia surgió un guion, el cual acabé rodando junto a mis amigos de una manera *amateur*. Como es lógico, el proyecto acabó en un cajón, olvidado.

Muchos años más tarde, cuando se publicaron los dos primeros libros de la saga *De Madrid al Zielo*, el cajón volvió a abrirse. La idea seguía siendo buena, y las ganas de hacer algo importante, intactas. Y fue cuando empecé a novelizar ese guion.

He tenido que parar la escritura de este libro demasiadas veces. Alguna por buenas noticias, como fue el nacimiento de mi hija Natalia, y otras por malas. En el transcurso de su proceso, nació *De Madrid al Zielo 3*. Hay algunas historias que piden paso, y tu cabeza no puede pensar en otra cosa. Muchos escritores que lean esto lo entenderán.

Pero por fin está aquí, querido lector. Ya puedes percibir el olor a libro nuevo, notar el suave tacto de sus páginas, y descubrir la historia que hay detrás de *El Peregrino*.

He tratado de ser fiel al recorrido original del Camino Francés, y he descrito los pueblos y caminos que yo mismo hice. Las fotos que realicé han ayudado bastante.

Los albergues y sus interiores son parte de la ficción literaria, así como los personajes y sus tramas. Aunque, una vez más, todos ellos se han inspirado en personas que de verdad conozco. Incluso varios de ellos son lectores de la saga *De Madrid al Zielo*, que participaron en un concurso.

Cualquier parecido con la realidad será fruto de la casualidad.

Agradecimientos:

Mi primer agradecimiento es a Laura Arbos Serrano (Laura Lau). No sé qué deparará mi carrera literaria, pero lo que está claro es que de lo mejor que me ha ocurrido es lo que viví aquella tarde en Barcelona. Que una persona pida, como última voluntad, venir a verme a mi presentación, sabiendo que quizá no llegue con vida… no se puede explicar con palabras.

Laura pidió el alta en el hospital para estar conmigo, conocerme y que le firmase la saga *De Madrid al Zielo*. Ese día era su cumpleaños. Cuando me hice la foto con ella (es la del principio del libro), le hice prometer que tenía que estar en la presentación de *El Peregrino*. Ella, con un hilo de voz, me dijo que sí. Laura falleció a los pocos días de aquel momento.

Jamás podré olvidar algo así. Y mi agradecimiento mayor es a su familia, a sus hermanas, hijos y padre. Ellos fueron los artífices de que Laura pudiera ser feliz. Sois ejemplares.

También agradezco a mis hijos, Iker, Raúl y Natalia. Como os digo a menudo, siempre caminaremos juntos. Pase lo que pase.

A Lorena, que ha tenido que aguantar demasiado en los últimos tiempos. Seguramente no te merezca, pero tenerte es una bendición.

A mis padres, Chon y Alfonso. A mi tío Goyo, y a la familia que me ve desde el cielo.

A mis hermanos Javi, Lola y Araceli.

A mis sobrinos Sergio, Eva, Paula y Rubén.

A mis familiares de sangre y políticos.

A Sonia Ibáñez, esa loca que me acompaña en cada locura que se me ocurre. Juntos creamos el canal de YouTube *Desde Zero*. De mayor quiero ser algo parecido a ti.

A Gema Barbero (sí, la cabo del ejército), por salvar mi vida. Creo que, si no es por ti, no lo habría conseguido. Eres una de las mejores personas que he podido conocer. Te quiero mucho.

A Isabel Arribas, por la paciencia de tener que corregirme. Tu profesionalidad y exigencia me hace mejorar cada día.

A mis amigos que están desperdigados por media España. Mira que es difícil reunirnos todos…

A todo mi equipo de trabajo, en el cual pasamos muchas horas y que cada vez se parece más a una familia. Menciono especialmente a Eva Calatayud por su infinita paciencia conmigo y por saber esperar a que vuelva a ser yo. Otros no lo hubieran hecho.

A Vicente García. Tu confianza en mi trabajo no tiene precio. Me has hecho escritor, y eso no se me olvidará nunca.

A Jorge Iván Argiz. De igual manera, tus consejos y saber hacer me han hecho llegar hasta aquí. Formáis un buen tándem.

A todo el equipo que forma Dolmen Editorial / Plan B. Paqui, Dati, Darío, y todo aquel que de alguna manera participa dentro de la editorial.

A Alejandro Colucci por ilustrar la portada de *El Peregrino*. Como siempre, has conseguido reflejar fielmente la idea que rondaba mi cabeza desde hacía dos años. Mis novelas mejoran gracias a ti. Ojalá sigamos trabajando juntos muchos años.

A mi agente literaria, Yaiza Girón, directora de la agencia de representación Última Línea. Siempre tienes buenas palabras hacia mí, y al final lograremos grandes cosas juntos.

A Vicente Gil y Adán Martín, por acompañarme en esta aventura tan difícil que es tratar de alcanzar el Séptimo Arte.

A Ángel Martín Toribio (el temido Toro en la novela). Tuya es la foto de la portada, y mi inspiración para recrear tan malvado personaje. Aunque tú eres un buenazo. Gracias por ser mi amigo.

A los libreros y libreras de este país, que con su esfuerzo logran que permanezca vivo el sueño llamado literatura.

A los blogs de reseñas, ya sea en YouTube, Instagram, Twitter, etc., que nos dais visibilidad y un empujoncito al mundo exterior con vuestro trabajo.

Y a vosotros, lectores. Por acompañarme desde el principio. Este sueño nació hace seis años, y nunca me habéis dejado de lado. Cada vez sois más.

Y ahora, ya podéis pregonar a los cuatro vientos que un vallecano está viviendo un sueño. Que mis novelas lleguen a cada vez más gente y que, ojalá, salten al medio audiovisual.

Sin vosotros no sería nada.

Por si me acabas de descubrir y te apetece acompañarme, te dejo mis redes sociales:

 @alfonso_z

 Alfonso Zamora Llorente

 @Alfonso__Z

 Desde Zero

¡Y arriba Vallecas!

Alfonso Zamora Llorente